メタバースと経済の未来

井上智洋

文春新書
1387

はじめに

人類は今から20年以内に、目覚めている多くの時間をコンピュータ上の仮想空間で過ごすようになる。私は本気でそう考えています。その仮想空間というのは、図1のように3Dグラフィックスの自然や街があり、その中を自分の分身である「アバター」[1]が歩き回れるものです。そこでは他の人が操るアバターとお話をすることもできるでしょう。

こういった仮想空間は、最近「メタバース」[2]と呼ばれるようになりました。要するに、メタバースというのは、「コミュニケーションできる仮想空間」です。

2021年、細田守監督の『竜とそばかすの姫』[3]というアニメーションが大ヒットしました。田舎の一介の女子高校生が、バーチャル空間〈U〉の中で大人気アーティストになっているという筋書きですが、このバーチャル空間〈U〉はまさしくメタバースです。

あるいは「あつまれ どうぶつの森」[4]という任天堂のゲームの中で他の人とコミュニケーションしたり、取引したりした経験のある人も多いでしょう。「どうぶつの森」がメタバースかどうかは議論の分かれるところですが、「これはメタバースだ」「これはメタバー

図１　メタバース「cluster」内のワールド「森林浴」

スではない」と厳密に区別することにはあまり意味がなく、程度問題と考えるべきです。すなわち、仮想空間のリアリティや社会活動の自由度が増せば増すほど、よりメタバース的だと言えるわけです。

メタバースは、今すぐにではないにしても、いずれは世の中を大きく変えるものになるでしょう。しかし、一日の大半を仮想空間で過ごすようになるなんてありえない、と思う人も多いはずです。

つい15年ほど前まで、人々は電車の中で紙の本や雑誌、新聞を読んでいました。『銀河英雄伝説』[5]という今から１６００年も後の時代を描いた小説には、人類は文字を記すのに紙以上のものを発明できなかったといったフレーズがあります。宇宙戦争盛んな遠い未来でも相変わらず紙が大活躍しているというのです。私もきっとそうだろうと思っていました。

ところが実際には、２０１０年くらいから瞬く間に人々は紙の束を捨て去って、スマートフォンという小型の装置で文字を読むようになりました。これでも日本は遅れた国であって、エストニアでは、紙はトイレでしか使われないというくらいにペーパーレス化が進んでいます。そんな劇的な変化はほとんどの人が予想できませんでした。

だから、今は思いもよらないという人が大半でも、これから短期間のうちに我も我もと雪崩《なだれ》を打って仮想空間へ移り住むようなことがあってもおかしくはないのです。

今や、高校生のインターネット利用時間は、一日平均5時間半にも達しています。若い世代であればあるほど、スマホを片手にＳＮＳに常時接続している現状があります。このＳＮＳの発展の先にメタバースがあると捉えると、今後メタバースが普及していくのは間違いないように思われます。

あるいはコロナ危機下の生活を思い返すと、一日中家にいて、パソコンやスマホなどの画面を見ているだけの時間を過ごした人も少なくなかった。一日の労働時間のほとんどをパソコンの前で過ごす人も多いでしょう。

人によっては、仕事が終わったあともネットサーフィンをしたりYouTubeの動画を見たりして、ずっと液晶画面から目を離さない生活を送っているかもしれません。もちろんこういった生活は、コロナ危機によって強いられた側面もありますが、Ｚｏｏｍなどのオンライン会議は、もはや日常的な営みの一つになったとも言えます。

　このオンライン会議の延長上でメタバースを捉えることもできそうです。すでにメタバース内でバーチャルオフィスが提供されている状況に照らしてみても、仕事のオンライン会議の場からメタバースが普及するという道筋も考えられます。さらにその延長上には、教育や娯楽、人々の交流などへの広がりもあるでしょう。

　ただし、メタバースが普及するには、仮想空間へのアクセスが今よりもずっと簡単で気楽で洗練されたものになっていなければなりません。現状では、ＬＩＮＥなどでメッセージを送り合う手軽さとはほど遠いですが、そうした問題はあと5年から10年程度で解決されるでしょう。

　あるいはまた、実空間における体験の濃密さに比べれば、仮想空間での体験はあまりにもチープだと思う人も多いはずです。私も今のところ、ある程度はそう感じているのですが、今後仮想空間でのリアリティが増していくこともまた間違いありません。

　現にグラフィックスの進化スピードはかなりのもので、メタバース内の風景が、現実と区別がつかないほどリアルになっていく未来は容易に想像されます。触覚を再現する研究も進んでいて、「データグローブ[6]」をそれぞれ装着した遠距離恋愛中のカップルが、仮想空間内で手つなぎデートを堪能することも技術的には可能になっています。

機械が人間の味覚や嗅覚を刺激するようになるのも遠い未来の話ではありません。ただの水がカクテルの味に感じられるようなグラスも、ワインのテイスティングに使えるような香りを発する装置も既に存在しています。

映画『マトリックス[7]』では、現実とまったく区別のつかない仮想空間の中で人々が暮らしているさまが描かれています。『マトリックス』のように自分が実空間で暮らしていると思っていたら、実はそこは仮想空間だったという錯覚がもたらされるような事態は実際には起こり難いでしょう。ただ、そこまでいかなくても、実空間と遜色ない体験が仮想空間内で可能になってもおかしくありません。

そんな未来をディストピア（反理想郷）というのであれば、液晶画面を日がな一日見つめて過ごす今の暮らしぶりも、昔の人から見ればディストピアと言えるかもしれません。つまり、「そんなのはディストピアだ！　けしからん」と憤る人が一定数いたとしても、未来は避けようもなくやってくるのです。

それだけメタバースが普及していくのであれば、経済活動のかなりの部分がメタバース内で行われるようになるでしょう。だから、経済学者である私は、メタバースが変える経済の未来について考えを巡らさないわけにはいかないのです。

以前から私は、経済のあり方を激変させる技術として人工知能[8]（ＡＩ）に興味を持っていました。メタバースもまた、ＡＩと対になって経済のあり方を激変させるだろうと考えています。そういう意味で本書は『人工知能と経済の未来』（文春新書）という、２０１６年に私が書いた本の続編的な位置づけになります。

ではなぜＡＩとメタバースが相補的な関係にあると言えるのでしょうか。ＡＩは人間の頭脳の代替物であり、ＡＩを組み込んだロボットとともに人間の労働に置き換わっていくと予想されます。一方でメタバースは人間が暮らしている世界（環境）の代替物であると言えます。

遠くない未来に、人間の頭脳はＡＩに、身体はＡＩを組み込んだロボットに、そして世界はメタバースによってそれぞれ置き換わっていくというわけです。そして、この三つがそろえば森羅万象すべてが機械化されデジタル化されるという、ある意味恐ろしい状況がもたらされるわけです。

ＡＩが普及しても人間の仕事は部分的には残りますし、それと同様にメタバースが普及しても、実空間での人間の営みは部分的には残るでしょう。これは技術の進展度合いにもよりますが、今の技術の延長上で考えれば、食事や睡眠、排泄、あるいは医療行為や介護など、人の身体を必要とする行為は実空間で行うしかありません。ただ、それ以外の娯楽や仕事、教育といった多くの営みは、メタバース内に場を移していくだろうと思われます。

その時、経済活動はどのようなものになるのでしょうか？　私は、メタバース内の経済活動は、実空間とかなり性質が異なるものになるだろうと予想しています。

例えば、メタバース内でアバターに着せる洋服は1着だけデザインすれば、あとはいくらでもただでコピーできます。実空間の洋服と違って、製造するための労働者や機械設備は必要ありません。

現在の資本主義では、機械設備の設置には莫大な資金が必要で、その資金を提供する資本家と労働力を提供する労働者が主な経済主体となっています。マルクス主義が想定するように両者が対立しているかどうかは別にして、こういう形で資本主義は形成されてきたわけです。ところが、機械設備が要らなくなれば、資本主義が消滅するわけではないものの、根底から変容してしまいます。

メタバースにおける経済の主な担い手は、資金を提供する資本家でもなく、モノを物理的に作ったり運んだりする肉体労働者でもなく、アバターやデジタルな洋服をデザインするクリエイターです。

これまでも「ＡＩ時代にはクリエイティブ・エコノミー[9]が到来する」といった未来予測がよく口にされてきましたが、メタバースの普及とともに、クリエイティブ・エコノミーはますます加速していくでしょう。

しかし、それはユートピアとは言えないかもしれません。誰もがクリエイターになれるわけではないし、クリエイティブな仕事をしていても十分に暮らしていけるだけの収入が得られるとは限らないからです。

では、どうしたらいいのでしょうか？　その問いに答えるためにも、メタバース内の経済とはどのようなものか、メタバースの普及によって資本主義がどのように変容するかを理解する必要があります。それこそが本書のテーマです。

注

（1）アバター（avatar）　化身や分身などの意味を持つ。仮想空間においてユーザーが設定した外観で、ユーザーの分身として画面に表示される唯一のキャラクターのこと。

（2）メタバース（metaverse） 英語の「超越（meta）」と「宇宙（universe）」を組み合わせた造語で「インターネット上の仮想空間」のこと。ユーザーは3次元の仮想空間にアバターとして参加し、他のアバターと意思疎通をしたり経済活動を行ったりする。

（3）『竜とそばかすの姫』 ２０２１年公開の細田守監督アニメ作品。心に傷を抱えた女子高生のすずが50億人以上が集うインターネットの仮想空間〈U〉に出会い、成長していくストーリー。

（4）「あつまれ どうぶつの森」 ２０２０年に発売されたNintendo Switch 用ゲームソフト。プレイヤーは、「たぬきち」が手がける不動産会社「たぬき開発」による「無人島移住パッケージプラン」に参加し、ＤＩＹワークショップやテント設営などをしながら暮らしを充実させていく。

（5）『銀河英雄伝説』 累計発行部数１５００万部を超える、田中芳樹によるＳＦ小説。１６００年後の宇宙が舞台。１５０年にも及ぶ「銀河帝国」と「自由惑星同盟」の抗争、そこに現れた英雄たちの攻防と権謀術数を描くスペースオペラ。

（6）データグローブ（data glove） バーチャルリアリティを実現するための装置の一つで、人間の手の単純な動作をデータ化し、コンピュータに送り、コンピュータ上でそれを再現する。

（7）『マトリックス』 ウォシャウスキー兄弟監督・脚本による１９９９年公開のＳＦアクション映画。真実を知らないまま仮想世界「マトリックス」で暮らす主人公ネオは、ある日、仮想世界から人類を救う救世主になると告げられる。仮想世界から目覚めた人類と機械との戦いを描く。

（8）人工知能 ＡＩ（Artificial Intelligence）のこと。１９５６年に行われたコンピュータ科学の学会「ダートマス会議」を開催する提案書の中で初めて使われた言葉で、人が実現する様々な知覚や知性を人工的に再現するもの。50年代後半~60年代にかけて第1次ＡＩブームを迎えた。コンピュータを使用した「推論」や「探索」が技術的に可能になったもののブームは下火となり、70年代に冬の時代に突入。パソコンが登場した80年代に第2次ＡＩブームが到来。人間が推論する可能性のある「知識」をコンピュータに教えることで作られたＡＩが盛り上がりを見せたものの、膨大な情報量を人間が手動で入力しなければならない困難などから、90年代に再び冬の時代に突入。その後、ビッグデータの登場により、２０００年代に第3次ＡＩブームが到来。推論の前提となる知識をＡＩがビッグデータから自ら得て獲得する機械学習の技術が実用化され、ＡＩがデータから自動的に特徴を抽出する「ディープラーニング」の技術が実用可能に。

(9)　クリエイティブ・エコノミー　デザインやＩＴ、メディア、音楽・美術、出版・広告、建築など、個々人の創造性、技能、才能に基づき、知的財産などの展開や利用で雇用を創出する可能性のあるクリエイティブ産業に、科学技術も含めた広義の創造経済のこと。

メタバースと経済の未来◎目次

2章　この世界はスマート社会とメタバースに分岐する

編集協力　斎藤哲也
デザイン　中川真吾
注釈は編集部で作成しました

1章　メタバースとは何か？

フェイスブックからメタへ

この章ではメタバースの現状に加えて、メタバースの周辺技術である「Ｗｅｂ３・０《ウェブスリー》」[1]について簡単に紹介します。すでにメタバースの本は数多く出ているので、メタバースについて知識のある人は飛ばしていただいてもかまいません。

「はじめに」でも書いたように、本書ではメタバースを「コミュニケーションできる仮想空間」と定義しています。コンピュータ上の仮想空間を、自分の分身である「アバター」が自由に動き回り、他人が操作するアバターと会話できれば、メタバースと呼ぶというわけです。

ただし、メタバースを没入感たっぷりに楽しむためには、現在では「ヘッドマウントディスプレイ」[2]（ＨＭＤ）という大きなゴーグルのようなデバイス（装置）を頭に装着する必要があります（図１）。

ＨＭＤは「ＶＲデバイス」の一種で、「ＶＲ」[3]（Virtual Reality、仮想現実）は、現実と同じような感覚が得られる技術です。ＨＭＤのようなＶＲデバイスを身につければ、仮想空間に入り込んだかのような体験ができます。

Photo by Thinkhubstudio/iStock

図１　ヘッドマウントディスプレイを装着

ＨＭＤを装着し、メタバース内の道路を歩いていると、右側を向けば右側の建物が、左側を向けば左側の建物が目に入ります。要するに、自分の周囲全部が仮想空間という状態です。

パソコンからもメタバースにアクセスできますが、こうした没入感を味わうことはできません。パソコンの画面からひとたび目をそらせば、自分の部屋の薄汚れた壁なんかが視界に入り、なんとも白けるばかりです。

ＨＭＤがそれほど普及しているわけではないのに、メタバースはいまかなりの注目を集めており、テレビ番組でも度々取り上げられるくらいです。その背景には２０２１年10月にフェイスブックがメタ・プラットフォームズに社名を変更したことがあります。メタ・プラットフォームズ社は「メタ」と略して呼ばれており、この「メタ」の名前の由来がメタバースです。

メタ社ＣＥＯのザッカーバーグさんが、これからはメタバースが普及するに違いないという未来予測とともに、「自分たちはメタバースに賭けます」という意気込みを込めて、思い切って名前を変えてみたわけです。

このメタ社は、２０２１年から「ホライズン・ワールド[4]」というメタバース（のプラットフォーム）を運営しています（図2）。まだアメリカとカナダ、スペイン、フランスなど数カ国でしか使えず、ほとんどのヨーロッパ諸国ではこれから展開予定で、日本でもまだ利用できません。

ホライズン・ワールドは、そのグラフィックスを見た人に、「ひと昔前の教育番組のようなグラフィックスだ」とか「数兆円かけてこれですか」などと揶揄《やゆ》されています。たしかにグラフィックスは緻密ではないし、迫力があって驚くようなものではない。アバターも上半身しかなくて、「ジオング・アバター」などと呼ばれている。ジオング[5]は、アニメ『機動戦士ガンダム』に登場する上半身のみのロボットです。

憶測になりますが、メタ社は一般の人達が使っている低スペックのパソコンやＨＭＤでもサクサク動くように、わざとグラフィックスに凝っていないのかもしれません。そして

By Meta

図2　メタ社のHorizon Worlds（ホライズン・ワールド）

デバイスの進化や普及に合わせて、グラフィックスの質も上げていく（実際、後になって足の生えたアバターも発表された）。とすれば、チープと批判されるグラフィックスは戦略的なものだと理解することもできます。

　ちなみにメタ社は、ＨＭＤを開発しているオキュラスという会社を２０１４年に買収しています。このオキュラス社が開発したＨＭＤが「オキュラス・クエスト」であり、その最新版が「オキュラス・クエスト２」改め「メタ・クエスト２」です。社名変更に伴い、「メタ」を冠するようになりました。

　オキュラス社を買収したりホライズン・ワールドを運営したりするなど、メタバースが今後、ＳＮＳ以上の広がりをもつものと見込み、先んじて飛び込んだザッカーバーグさんの先見の明はすばらしいと思います。なにしろ2014年にオキュラスを買っているぐらいですから、さらにその何年も前からメタバース的なものに賭けてみようと考えていたのではないかと推測できます。

ただし、メタ社の株価は1年前330ドルくらいでしたが、現在（2022年11月3日）90ドル近くまで下落しており、市場での評価はかんばしくありません。利用者数という点から言っても、ホライズン・ワールドがメタバースの最有力というわけではありません。

現在、世界的に最も利用されているメタバース（のプラットフォーム）は「VRChat」[6]です。日本では「cluster」[7]というメタバースがあり、VRChatとともによく利用されています。

メタバースは普及するのか？

メタバースの先駆的なプラットフォームとして、2003年に開始した「セカンドライフ」[8]が挙げられます（図3）。現在も存続しており、ホライズン・ワールドに比べて、セカンドライフのアバターのほうがリアルで、グラフィックスも緻密で洗練されています。

セカンドライフが2003年に始まっていることから分かるように、メタバースはまっ

図３　「セカンドライフ」内のワールド「ロンドン」

たく新しいサービスや技術というわけではありません。そこが人工知能（ＡＩ）と違うところです。ＡＩも１９５６年に初めてその言葉が公に口にされてからずっと研究が続いてきましたが、ディープラーニングという新しい技術が出てきて、２０１６年ごろからＡＩブームに火がついたという経緯があります。

それに対し、今回のメタバースブームの背景に、何か新しい技術とか仕組みの登場があるわけではありません。メタ・クエスト２のような安価なＨＭＤが登場して普及の下地が作られたとはいえ、以前から続いていたセカンドライフのようなメタバースの延長上にあると言っていいでしょう。

それにもかかわらず、今メタバースが盛んに論じられているのは、先に述べたように、フェイスブック社がメタ社に改名したことが大きなニュースになったからです。

そしていずれメタバースが次世代インターネットにおける主力のサービスになるだろうという世の中のコンセンサスが、部分的には得られています。

もちろん、そうならないと言う人もいます。私自身も当初は懐疑的で、フェイスブックのメタへの改名にも首をかしげていましたが、今ではメタバースブームは一過性のものではないと考えています。

そのきっかけとなったのは、２０２２年４月に「バーチャルYouTuber」[9]（ＶＴｕｂｅｒ）で『メタバース進化論』（技術評論社）という本を著したバーチャル美少女ねむ[10]さんと対談したことです。Ｚｏｏｍを使ってオンラインで対談しており、ねむさんは図４のような可愛らしい女の子のアバターで登場しました。

「NeosVR」[11]というチェコの会社が作ったメタバースは、欧米ではVRChatの次に利用者が多いのですが、ねむさんはこのNeosVRの中からＺｏｏｍ越しに対談に臨んでおり、仮想のカメラで自分を映すだけでなく、カメラをドローンのように飛ばして、周りの風景を一通り見せてくれました。

それで、大自然の中に木で作られた高い塔が建っており、塔のてっぺんにある秘密基地のような小屋にソファが置いてあって、ねむさんはそこに腰を掛けていることが分かった

図4　NeosVR 内のバーチャル美少女ねむ

図5　ソファに腰掛けているねむ

のです（図5）。

このソファで、数時間リラックスして過ごしたり、仮想の本を読んだりすることもあるそうです。メタバース内で自分の本を他人に配ることがあるとも言う。メタバース内で本が読めるのか？

見るもの聞くものすべてが鮮烈で、いずれ実空間における人類の営みはほとんど仮想空間の営みに取って代わられるだろうと、その時私は強く確信するようになりました。とはいえ、今のメタバースブーム自体はAIの時と同様に早晩沈静化するとも思っています。

その後に着実な普及が待っているけれど時間はかかる。というのもVRデバイスがまだ大がかりなものだからです。メタ・クエスト2にしてもかなり重厚で、スキーのゴーグルぐらいにならないと手軽には使えない。VR酔いで気分が悪くなる人も多いし、グラフィックスが粗いのでそれで目が疲れるという人もいます。

こんな本を書いておきながらなんですが、私などはHMDを装着して20分くらいでもうぐったりしてしまうので、今のところVR適性はありません。VR教授会をやりますなどと言って、こんな代物を2時間も装着させられたら、苦行もいいところです。何人かのゼミ生にもHMDを試してもらいましたが、いくらでも遊んでいられるという学生がいる一方、やはり気分が悪くなる学生もいました。

「ＨＭＤの重さ」「ＶＲ酔い」「目の疲れ」そういった問題が十分解消されるまで、おそらく5年はかかるでしょう。したがって、メタバースが一般的に普及し始めるのは２０２７年以降になると予想されます。

　ＩＴバブルが起きたのが２０００年頃で、インターネット利用者が日本で80％近くに達するのは２０１２年頃です。日本でスマホブームが起きたのが２０１１年で、スマホの世帯普及率が80％近くに達するのは２０１８年くらいです。

　かなり大雑把な話ですが、新しい技術やサービスが注目を集めてから10年くらいで、猫も杓子も利用するようになると見ておけばいいでしょう。メタバースについてはブームが今２０２２年に起きているので、利用者が80％ほどに達するのは２０３０年を過ぎた辺りになると予想できます。大した確証はないので当てにはしないで欲しいのですが。

どこまでをメタバースと呼ぶか

　そういうわけで、ＶＲデバイスが十分進化するまでは、大半の人はパソコンやスマホから仮想空間にアクセスすることになります。そういう意味でのメタバースは、今後も着実に広がっていくものと思われます。

ＶＲなしの仮想空間をメタバースと呼んでいいのかどうかは議論の余地があります。本書では、ＶＲなしでも「コミュニケーションできる仮想空間」という定義を満たしているので広義のメタバースに含めることにします。

ここで一言申しておきたいのですが、メタバースの厳密な定義にこだわるのはあまり益のあることではありません。何事も新しい概念が生まれると、その正確な定義をめぐって不毛な議論が起こりがちです。ＡＩブームの時もそうでした。「これぞＡＩの定義だ」などと強弁して、異なる定義は認めないという排他的な態度をとる人がいました。

しかし言葉なんて人間が作ったものだから、絶対的に正しい定義などあるわけがない。大事なのは多くの人がどういう対象を「メタバース」と呼んでいるか、という言葉の使用法に注目すること。それから、どういう文脈ではどう定義するのが妥当であるのかを吟味することです。

そうした結果、「コミュニケーションできる仮想空間」を広義のメタバースと呼んでいいだろうと私は思い至ったわけです。一方、狭義のメタバースは、ＶＲに対応しており「没入性」を有しているものです。

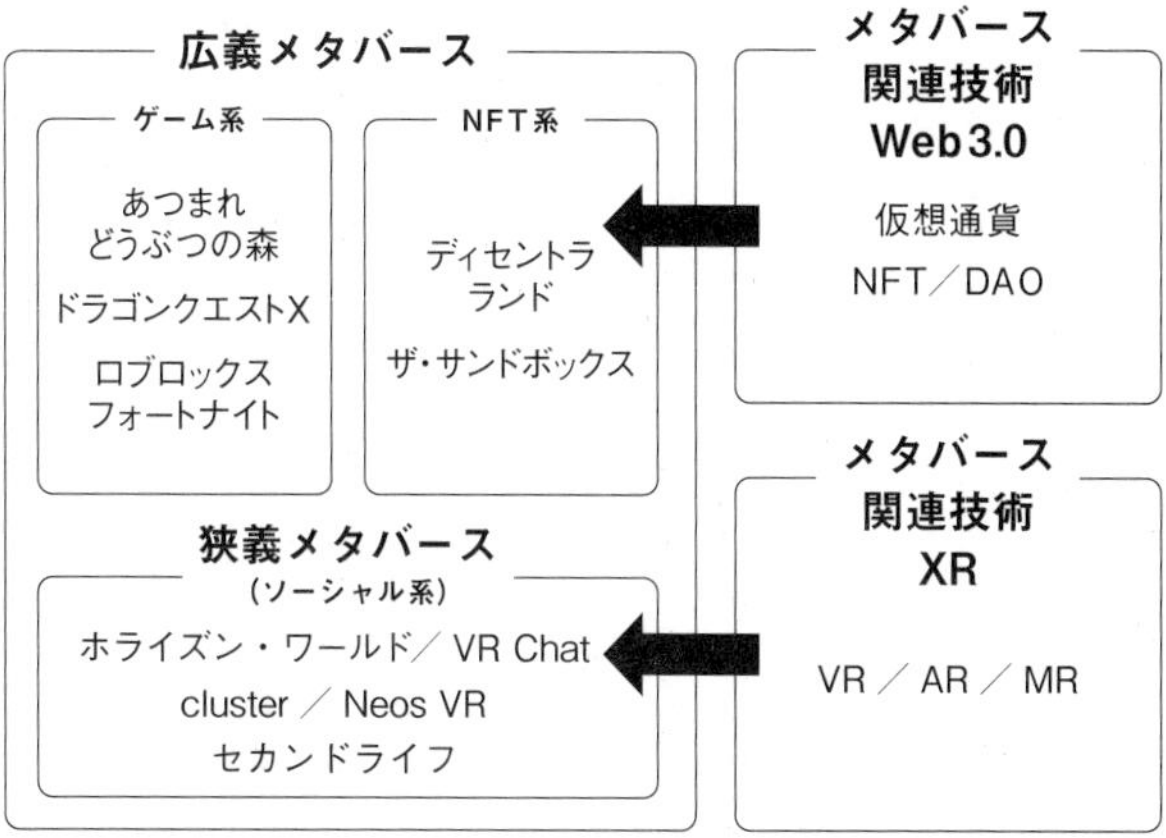

図6　広義メタバースと狭義メタバース

図6のように、メタ社のホライズン・ワールドやVRChat、clusterといった王道をいくメタバースは、VR対応しており、狭義のメタバースに含められます。これらを私は、「ソーシャル系」のメタバースとも位置付けています。

ソーシャル系というのは、要するに、人と人がコミュニケーションすることが主たる目的であり、ゲームなどの他の目的に重きをおいていないものです。こういったメタバースは、一般には「ソーシャルVR」とも言われています。

それに対し、「あつまれ どうぶつの森」や「ドラゴンクエストX《テン》」[12]は、広義のメタバースであるものの狭義ではそうではないということになります。「コミュニケーションできる仮想空間」であっても、ＶＲ対応していないからです。

　こういったソフトやサービスはおおよそゲームという形態をとっていることが多く、その場合「ゲーム系」とくくることにします。他に、図6には「ＮＦＴ系」というくくりがありますが、ゲーム系とともに後で詳しく説明します。

メタバース関連技術

　なお、ＶＲやＡＲ[13]（Augmented Reality、拡張現実）などをメタバースと呼ぶこともありますが、本書ではこれらをメタバース関連技術として扱います。

　ＡＲは、例えば眼鏡のようなデバイス（スマートグラス）を身につけて、植物園に行ったときに、それぞれがどのような植物であるのか、情報をレンズに表示するような機能です。

　中高年の方々は、漫画『ドラゴンボール』に出てくるスカウターを思い浮かべてもらえればと思います。スカウター越しに相手を見ると、その人の戦闘力が表示されます。若年層のみなさんは、小説や漫画などの『ソードアート・オンライン[14]』に登場するオーグマーをイメージしてください。『ソードアート・オンライン』についてはまた後でお話しします。

現実の華々しい例は、ナイアンティック社とポケモン社が共同で開発した「ポケモンＧＯ」というゲームアプリです。ポケモンＧＯではスマホをかざすと、現実世界にモンスターがいるかのように見えます（図7）。

このようにＡＲは情報やグラフィックスを現実に重ね合わせて表示するものです。ＶＲは実世界から仮想空間に人が入り込む。それに対して、ＡＲは仮想空間の方を実空間に呼び寄せる。現実を捨て去るわけではないので、ＡＲの方が健全だとも考えられます。

図7　ポケモン GO

実際、ナイアンティック社のＣＥＯのジョン・ハンケさんは、ＶＲやメタバースに否定的です。人類の進むべき道はＶＲかＡＲかというのは、面白い論点ですが、それは次章で議論することにしましょう。

ＭＲ[15]（Mixed Reality、複合現実）は、ごく大雑把に言えば、ＶＲとＡＲの組み合わさったもので、建設や医療の現場で使われ始めています。建設現場でＭＲデバイスを装着し、三次元のモデルをホログラムとして実空間に重ね合わせて作業を行う、といった利用がなされています。

ＶＲやＡＲ、ＭＲを総称して、ＸＲ[16]（クロス・リアリティ）と言います。ＸＲはＶＲを中心に狭義のメタバースの発展に影響を及ぼしています。メタ社は、メタ・クエスト２というＶＲデバイスとソーシャル系のメタバースであるホライズン・ワールドの両方を押さえており、シナジー（相乗効果）が期待されているというわけです。

図６にはメタバース関連技術として他にＷｅｂ３・０とあり、ＮＦＴ系のメタバースに影響を及ぼしています。こちらも後ほど説明します。

メタバースの分類

図６に表されているように、メタバースは大きく、「ソーシャル系」「ゲーム系」「ＮＦ

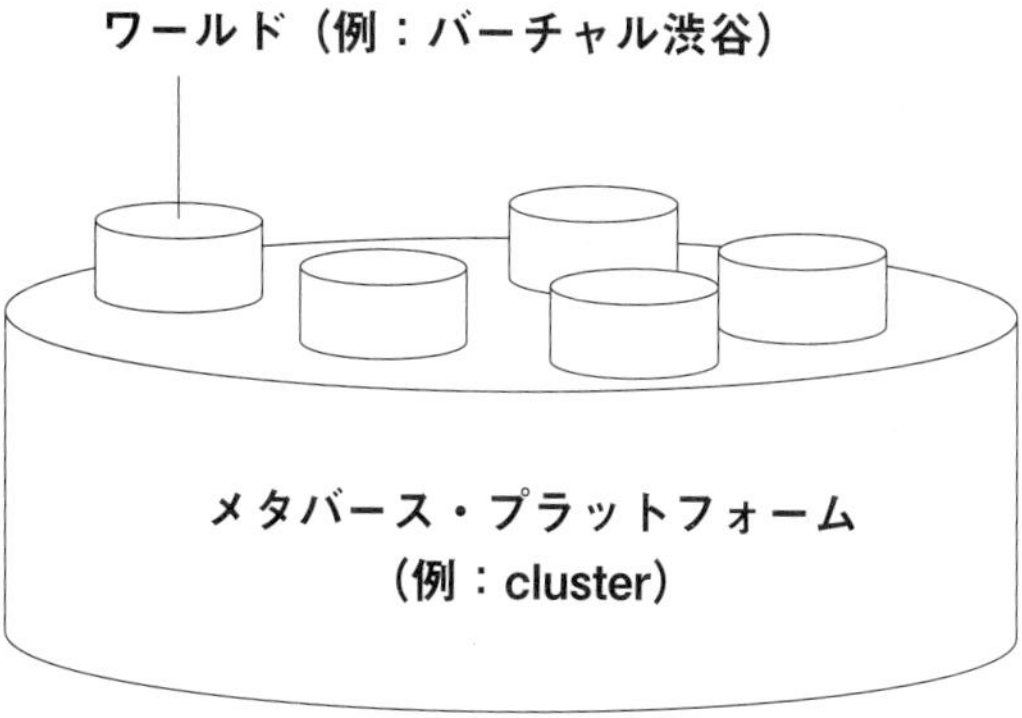

図8　メタバース・プラットフォームとワールドの関係

T系」に分類できます。利用者数が多かったり有名だったりするサービスは、この三つのいずれかに含まれます。

他に「ビジネス系」というジャンルが考えられ、これは今後、活況を呈する可能性が高いでしょう。仮想のオフィスを提供していたり、ミーティングやセミナー、シンポジウムを開催できたりするようなメタバースです。

たとえばメタ社は、ホライズン・ワールドとは別に「ホライズン・ワークルーム[17]」という会議室のメタバースを提供しています。Ｚｏｏｍなどの代わりに使えば、あたかも実際に対面で話しているかのようにオンライン会議を行うことができます。また、マイクロソフト社も「メッシュ・フォー・マイクロソフトチーム[18]」というビジネス系のメタバースを提供しています。

「店舗・ショッピング系」のメタバースもいくつか存在しています。例えば、三越伊勢丹社が運営する「レヴワールズ[19]」というメタバースには、新宿のような街並みの中に伊勢丹が建っていて買い物もできます。

レヴワールズはスマホ上で簡単に操作できますが、買い物に関していうと、既存のＥＣサイトで直接買う方が手軽と思う人が多いでしょう。「なにが悲しゅうて新宿住みのオレが仮想の新宿を散歩して仮想の伊勢丹で買い物せにゃあかんのか」とこぼしている人もおりました。ただ、これからサービスが向上しリアルな買い物体験に近づくほど、利用者が増えていくのではないかとも思われます。

ワールドの分類とメタバースの用途

図8（37ページ参照）のようにソーシャル系の「メタバース・プラットフォーム」には、たくさんの「ワールド」が作られています。メタバース・プラットフォームというのは、VRChatやclusterといったようなメタバースのサービスを提供するシステム全体のことで、これを単にメタバースと言う場合が多いようです。

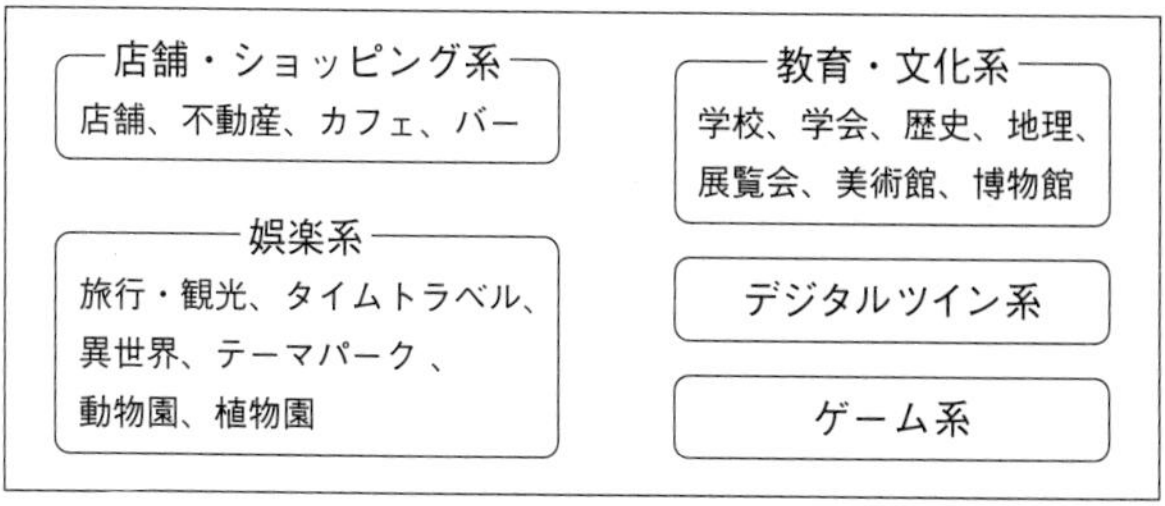

図9　ワールドの分類

一方、ワールドというのは、ある世界観に基づいて作られた一つの空間で、たいがいユーザーが自由に作成することができます。和風のワールドがあったり、宇宙を舞台にしたワールドがあったりしていろいろです。cluster の中には、「バーチャル渋谷」「バーチャル原宿」といった現実の街を模したワールドもあります。

ここではワールドを分類するとともに、メタバースの用途について考えてみましょう。図9はワールドを私になりに分類したものです。この中で当面有望だと思われるのは、「教育・文化系」のワールドです。

アメリカのスタンフォード大学にはＶＲを取り入れた講義があり、イギリスのサンダーランド大学では、コロナ危機下でメタバースを使ったオンラインの講義を行っています。

日本では、角川ドワンゴ社が運営しているＮ高等学校・Ｓ高等学校[20]で生徒にＨＭＤを配布し、ＶＲ授業を実施しています。2021年には「VRネット運動会」が催され、玉入れやアーチェリーなどが競われました。生徒達は、リアルな運動会同様の興奮や充実感が得られたそうです。
2022年には、「バーチャルキャスト」[21]というメタバース・プラットフォーム上で、メタバース入学式が催され、アバター姿の校長先生が挨拶していました。高校のホームページには、HMDを装着しコントローラを振り回す校長先生のシュールで微笑ましい姿が映っている動画が掲載されています。

今後教育への応用が進めば、フランス革命当時のパリや古代ギリシャのアテネを再現したワールドに入り込んだり、世界各地の国の特徴を再現したワールドを訪れたりして、生きた歴史や地理が学べるようになります。

織田信長について知るのに、メタバース内の安土城に飛び込むことができたら、楽しく学べそうです。実はすでに精巧に作られたバーチャルな安土城はVRChatのワールド「キャッスル・ポータル」の中に存在しており、VR空間大賞2022の審査員特別賞を受賞しています[22](図10)。なお、審査員としてこのワールドを選出したのは、先述のねむさんです。

楽しく体験しながら学ぶことの重要性はいくら強調してもし切れないでしょう。日本式

近江八幡市提供・天宝復元案は内藤昌氏監修　凸版印刷株式会社制作

図10　VR安土城

の詰め込み教育が全部悪いとは思いませんが、実感が伴わない、思考を深められない、知的好奇心を育てられない、といった弱点があるのは確かです。そういった弱点をメタバースで補うことができると考えられます。

学会（研究者の発表会）の開催でもメタバースは有効です。コロナ危機下で、オンラインの学会が普及しましたが、Ｚｏｏｍでは発表が終わるや否や、参加者が退出してしまいます。しかし学会は、発表を聞いて学ぶだけでなく、他の研究者たちと雑談する機会をもてる貴重な場でもあるのです。メタバースであれば、こうした雑談的なコミュニケーションも実現可能です。実際、すでにメタバース内で催された学会もあります。

バーチャル原宿やバーチャル渋谷（図11）などの

図11　メタバース「cluster」内のワールド「バーチャル渋谷」

現実世界を模倣したワールドを私は「デジタルツイン系」に分類しています。デジタルツインとは実空間をデジタル化してシミュレーションすることを意味しています。ツインとは双子のことで、現実とそっくりな片割れが仮想空間にあるかのようなので、そういう名前が付けられています。「ミラーワールド」という言葉もあって、だいたい同じ意味に使われます。

　有名なのは、シンガポール政府が主導して、シンガポールの街並みを仮想空間上に再現した「バーチャルシンガポール」です。これは、交通渋滞や災害、最近であればコロナウイルスの感染経路をシミュレーションするのに使われています。

　バーチャルシンガポールはメタバースとは異なるし、バーチャル原宿などのメタバースはシミュレーションを行うわけではないので、正確にはデジタルツインではありません。ただ、現実とそっくりな片割れが仮想空間にあるという意味で、デジタルツイン系と呼んでいるわけです。

　バーチャル渋谷では、コロナ危機下で開かれたハロウィンフェスが大きな話題を集めました。毎年ハロウィンの時期になると、渋谷に仮装をした人たちがたくさん集まっていましたが、コロナでできなくなったので、バーチャル渋谷の中でアバターを仮装させて楽しむバーチャルハロウィンが開催されたのです。

　２０２０年と21年を合わせると、約１００万人が世界中から来場したとのことです。当時はメタバースという言葉は一般に知られておらず、この盛況ぶりもまた、メタバースが新奇な言葉ゆえに引き起こされた一過性の流行として終わるわけではないことを裏付けています。１００万人はブームに促されたのではなく、仮想空間での仮装を純粋に楽しみたいと願って来場したのです。

　「娯楽系」には、観光地や異世界、タイムトラベルをテーマにしたワールドなどが含まれるでしょう。恐竜が跋扈《ばっこ》する白亜紀の世界をリアルに再現したワールドがあったら、飛び込んでみたいという人も多いのではないでしょうか？　現実にあり得ないことを実現できるのもメタバースの魅力的なところです。

コンサートやライブ、演劇、コントなどメタバース内での娯楽イベントはすでに実現しており、タレントの新たな活躍の舞台として注目を集め始めています。「ユーチューバー」や「ティックトッカー」に続いて、メタバースを主軸に活動する「メタバーサー」が脚光を浴びる日も遠くないでしょう。

ソーシャル系のメタバース内にバーチャルなライブ会場がワールドとして作られていたり、「バーク」[23]というライブに特化したメタバース・プラットフォームがあったりします。しかし、それらよりもゲーム系である「フォートナイト」[24]でのライブの方が話題になっています。例えば日本では、米津玄師さんや星野源さんが開催しています。

メタバースの歴史

有名アーティストがライブを行うくらいに、今やメタバースは脚光を浴びています。とはいえ、これまでにメタバースと呼べるものが全く存在しなかったわけではありません。

図12にあるように、仮想空間に人間が没入するという発想のはしりは、１９８４年に刊行されたウィリアム・ギブスンの『ニューロマンサー』[25]というSF小説にまで遡ります。

フィクションの中のメタバース	ソーシャル系のメタバース	ゲーム・NFT 系のメタバース
1984 ニューロマンサー		
	1990 富士通ハビタット	
1992 スノウ・クラッシュ		
		1997 ウルティマオンライン
1999 マトリックス		
2002 ソードアート・オンライン		
	2003 セカンドライフ	
		2006 ロブロックス
2009 サマーウォーズ	2009 アメーバピグ	
		2012 ドラゴンクエストX
		2013 ファイナルファンタジーXIV
	2014 VRChat	
	2017 cluster	2017 フォートナイト ディセントラランド
2018 レディ・プレイヤー 1	2018 NeosVR バーチャルキャスト ゼペット	
	2020 バーチャル東京タワー バーチャル渋谷	2020 あつまれ どうぶつの森
2021 竜とそばかすの姫	2021 ホライズン・ワールド	2021 ザ・サンドボックス (アルファ版)

図 12　メタバースの歴史年表

人々は脳に埋め込んだ電極で接続し、意識ごと仮想空間である「マトリックス」に没入できる。

　つまり、我々がいま「メタバース」と呼んでいるものが、作中で「マトリックス」という名の仮想空間（サイバースペース）として描かれているわけです。映画『マトリックス』（１９９９）も、当初は『ニューロマンサー』の映画化構想から始まったと言われています。

『ニューロマンサー』は「サイバーパンク」の先駆とも位置づけられています。サイバーパンクとは、コンピュータやネットワーク技術が高度に発達した世界で、反体制的な主人公が登場するようなＳＦ作品のことを言います。

『ニューロマンサー』と同じくサイバーパンク（あるいはポスト・サイバーパンク）とされてい

る作品に、ニール・スティーヴンスンの『スノウ・クラッシュ』[26]（1992）があります。同作では、人々がゴーグルとイヤフォンをつけて仮想空間にアクセスするという設定があり、その仮想空間が「メタバース」と呼ばれています。これが「メタバース」という概念の直接的な由来といっていいでしょう。

ちなみに、「meta《メタ》」は「超越」という意味で、「verse《バース》」は「universe（ユニバース、宇宙）」の略です。語義からいえば、仮想空間に「メタ」という接頭辞をつけることには疑問が残ります。

「メタなユニバース」と言うと、神が宇宙の外部から超越的にこの宇宙を眺めおわすような光景がイメージされるからです。あるいは、実空間と仮想空間の関係を考えると、実空間の私達こそが神のように仮想空間を作って超越的に見下ろす立場に立っていて、むしろ実空間こそが仮想空間にとってメタバースなのではないかとさえ思えるわけです。

なので、ネーミングに違和感を覚えるのですが、それではメタバースの代わりになんと呼ぶのがふさわしいか？　凡庸ですが、個人的には「バーチャル・ワールド」（仮想世界）とか「バーチャル・ソサエティ」（仮想社会）辺りかと思います。

しかし、世の中には名が体を表さないことなど往々にしてあるし、メタバースという言葉の持つポップな語感と新鮮さがブームを引き起こしたものと考えると、あれこれと理屈をこねるのはやめにして、メタバースという言葉を受け入れるしかないという気になってきます。

というわけで話を戻すと、「メタバース」の出現する『スノウ・クラッシュ』は、グーグルの創業者であるラリー・ペイジさんやセルゲイ・ブリンさん、オキュラスの創業者パルマー・ラッキーさん、そしてセカンドライフの創業者であるフィリップ・ローズデールさんなど、ＩＴ起業家のそうそうたる面々に影響を与えています。ＳＦには現実を変える力があると言われるゆえんです。

メタバースが登場する作品としては、先に取り上げた映画『マトリックス』（１９９９）が有名ですが、私の教え子の大学生には知らない人もけっこういます。若い世代には、むしろ『ソードアート・オンライン』（２００２）のほうが知られています。『ソードアート・オンライン』は小説から漫画、アニメ、ゲーム、テレビドラマにも展開している作品で、小説の刊行はまだ続いています。

「ソードアート・オンライン」というＶＲゲームにログインした１万人がログアウトできなくなり、ゲーム内に閉じ込められる。ゲーム内で死ぬと、リアルでも死んでしまう。というなかなかスリリングなストーリーで、ゲーム内の世界はメタバースといっていいでしょう。くしくも、メタバース元年とも言われる今年２０２２年は、物語の中でこのＶＲゲームがオープンした年として設定されています。

以上に挙げた作品のほかにも、細田守監督の『サマーウォーズ』[27]（２００９）と『竜とそばかすの姫』（２０２１）、スティーブン・スピルバーグ監督の『レディ・プレイヤー１』[28]（２０１８）など、メタバースを題材としている作品は数多くあります。

では、現実のメタバースはいつから始まったのでしょうか。１９９０年に始まった「富士通ハビタット」[29]というメタバース的なサービスがあります。もともと作ったのはアメリカのルーカスフィルムですが、富士通がライセンスを得て日本でサービスを展開しました。

この仮想空間は、サービス開始当初こそ2次元だったものの、のちに3次元になりました。昔のファミコンのような、ドットが見えてしまうくらいの粗いグラフィックスですが、一応コミュニティ的なものがあって自分のアバターが動かせるようになっています。当時はインターネットがなく、「ニフティサーブ」などのパソコン通信しかなかったので、とにかく動きが遅くてそれほど普及しませんでした。

ただ、アバター同士が結婚する「ハビ婚」が流行るなど、一部では非常に盛り上がっていましたが、２０１０年に関連サービスはすべて終了しています。時代を先取りしすぎたと考えられますが、オンラインゲームにユーザーが流れてしまったのが実情だとも思われます。そして、このオンラインゲームこそがメタバースの源流の一つになっているわけです。

それでも、２００３年にはセカンドライフがサービスを開始しています。また、サイバーエージェントが２００９年に始めた「アメーバピグ[30]」も先駆的なメタバースと言えます。パソコン版は２０１９年に終了しましたが、スマホ版はまだ続いています。

アメーバピグには３Ｄグラフィックスの街があり、アバターはその中を動き回ることができ、コミュニティが展開されていたので、これも広義のメタバースと呼んでいいでしょう。

狭義のメタバースがサービスを開始するのは、２０１４年からです。２０１４年にVRChat、２０１７年にcluster、２０１８年にNeosVR、バーチャルキャストというように続々とリリースされました。

ゲーム系メタバース

ゲーム系メタバースは、どうぶつの森とかドラゴンクエストＸというタイトルを多く目にすることからもわかるように、王道であるはずのソーシャル系メタバースよりよっぽど有名で利用者数も多いようです。また、３Ｄグラフィックスなどの技術ではメタバースに先んじています。

オンラインゲームには、「ＭＭＯＲＰＧ[31]（大規模多人数同時参加型オンライン・ロール・プレイング・ゲーム）」というジャンルがあります。これは、複数のプレイヤーが同一の世界で協力しながらプレイするゲームのことで、１９９７年発売の「ウルティマオンライン[32]」がそのはしりです。

ファイナルファンタジー[33]やドラゴンクエストなど、かつてはネットにつながず一人でプレイしていたゲームも、現在はＭＭＯＲＰＧとして展開されています。ゲーム内でチャットをしたり、土地を買ったりすることもできるので、「コミュニケーションできる仮想空間」というメタバースの条件は満たしているわけです。

現在、「ゲーム系」で注目すべきサービスの一つに、２００６年にリリースされた「ロブロックス[34]」があります。これは、ユーザーがゲームを作成してアップロードすると、他のユーザーがそのゲームで遊ぶことができるというものです。いわば、ゲーム共有プラットフォームであり、ゲーム版の YouTube とも言われています。

特に、アメリカでは16歳未満の子どもの半数以上が利用しているほど爆発的に流行っており、近年は、日本でも小学生や中学生のあいだで盛り上がりを見せています。

ロブロックスはグッチとコラボするなど、ブランドメーカーの参入も相次いでいます。さらにロブロックスはロブロックス内で通用する「ロバックス」という通貨もあり、アメリカでは子どもたちがゲームを作ってお金を稼いでいるのです。

ゲーム系メタバースでは、先述のフォートナイトというオンラインゲームも注目されています。ゲームがスタートすると１００人がパラシュートで島に降り、最後の一人になるまで殺し合うバトルロイヤルゲームです。

そう聞くと、攻撃性の高い野蛮なゲームに聞こえるかもしれませんが、このゲームにはクリエイティブモードというものがあります。このモードでは、自分の島を設定し、最大16人のプレイヤーと一緒にその島で建物を建てたりゲームを作ったりして遊ぶことができます。クリエイティブモードも含めて考えると、フォートナイトもまたメタバースと言えるでしょう。

このフォートナイトの運営元であるエピックゲームズ社が開発した「アンリアルエンジン」[35]というソフトウェアは、美しい３Ｄグラフィックスを作れるゲームエンジンとして知られています。このソフトを使えば、ゲームだけではなくメタバースもより簡単に作れます（といってもなかなかハードルが高いですが）。

Ｗｅｂ３・０とは何か

次にＮＦＴ系メタバースについて説明する前に、メタバースの周辺技術であるＷｅｂ３・０について解説しておきましょう。周辺技術と言ってしまいましたが、Ｗｅｂ３・０は、メタバースとは全く別の文脈から出てきた技術を一まとめにしたコンセプトで一種の思想運動でもあります。思想運動を表す際には、「Ｗ《ウ》ｅ《エ》ｂ《ブ》３《スリー》」と記されることが多いようです。

Ｗｅｂは「ワールド・ワイド・ウェブ（World Wide Web）」を略した言葉で、ページ内のリンクをクリックすると他のページに飛ぶような仕組み（ハイパーテキスト）を使ったシステムのことを言います。当初は「ＷＷＷ」と略していましたが、最近はこの表記も見かけることが少なくなりました。

みなさんは、ブラウザを使ってアマゾンなどで買い物をしたり、フェイスブックやインスタグラムを見たりすることがあると思いますが、その際に映し出されるＷｅｂページは

	Web1.0	Web2.0	Web3.0	Web4.0
デバイス	パソコン	スマホ	スマートグラス	BMI
コミュニケーション	ホームページ 単方向	SNS 双方向	メタバース ノンバーバル	メタバース BBI
データ	テキスト	画像・音声・動画	空間（モノ全て） 触覚	味覚 嗅覚

図13　Web1.0からWeb4.0まで

まさにＷＷＷという仕組みを使って作られています。

ところが、Ｗｅｂ３・０はＷＷＷとは直接関係あるわけではないので、なんだ分かりにくいネーミングです。インターネット３・０といった方が適切ではないかと思いますが、例によって名が体を表さないのが世の常なので、渋々ながらＷｅｂ何々という一般的な言い方を受け入れることにします。

１９９０年にＷＷＷが発明され、そこから１９９０年代後半くらいまでがＷｅｂ１・０の時代です（図13）。Ｗｅｂ１・０ではホームページによる単方向のコミュニケーションが中心でした。

当初のインターネットでは、ホームページを持っている企業と一部の個人しか情報発信ができなかったのです。その頃は簡易なホームページの作成ですらハードルが高かったので、Ｗｅｂデザイナーは引っ張りだこでした。

ところが、２００４年くらいにＷｅｂ２・０の時代になると、双方向的なコミュニケーションが活発になってきます。日本で最初に流行したＳＮＳであるミクシィがオープンしたのがちょうど２００４年です。ＳＮＳでは、一人の利用者が受信もするし発信もする。さらにYouTubeのように、自分で動画を編集してアップロードする人も増えました。

デバイスとしてはＷｅｂ１・０のパソコンに対し、Ｗｅｂ２・０はスマホが用いられるようになりました。

それでは、２０２２年の今脚光を浴びているＷｅｂ３・０とは何なのか？　１・０と２・０の間には、単方向的コミュニケーションから双方向的コミュニケーションへというわかりやすい変化が見いだせますが、３・０の特徴はそれらと質的に異なります。一言でいえば、「分散」ということです。

Ｗｅｂ３・０を代表する技術で一番知られているのは仮想通貨です。お金というと、我々が現実に使っている現金を想像する人が多いと思いますが、財布にあるのはお金の一部に過ぎず、ほとんどは銀行にあるコンピュータ上のデータである預金です。それらは、クラッキング（システムへの不正侵入）を受けないようにセキュリティ技術が施されている。そのセキュリティに多額の費用がかかっているので、私達がお金を引き出したり振り込んだりする際には、銀行から手数料を取られるわけです。

しかし、データの改竄《かいざん》ができない技術があれば、銀行が中央集権的にお金を管理する必然性はなくなります。その技術がブロックチェーン[36]と呼ばれるものです。これは、多数のコンピュータ上に「分散的」にデータを記録し、書きかえられないようにする仕組みです。そして、ブロックチェーンを使ってつくられたお金がビットコイン[37]のような仮想通貨です。

なにしろ書きかえられないような仕組みになっているので、クラッキングが絶対ないとは言えないものの、まず起きることはない。したがって銀行のように高度なセキュリティ技術でお金を集中管理する必要がありません。

このブロックチェーンは、お金以外にも、勝手に偽造されたり改竄されたりしたら困るようなものには、およそなんでも適用することができます。身近な例で言うと、卒業証書や不動産登記簿、骨董《こっとう》品の鑑定書などです。

ブロックチェーン上のデータを「トークン[38]」と言います。トークンというのは印とか記録といったような意味です。こうしたトークンには、「ＦＴ[39]（Fungible Token）」と「ＮＦＴ[40]（Non-Fungible Token）」があります。ファンジブル（fungible）とは代替できるという意味です。

たとえば私の１万円とあなたの１万円は交換しても問題ありません。このように、唯一無二の存在ではなく、代替したり交換できたりするようなものは「ＦＴ」です。それに対して、私の卒業証書を友だちの卒業証書と取り替えることはできません。不動産登記簿も同じです。こうした代替不可能な証明書の類に相当するトークンが「ＮＦＴ」ということになります。

ＦＴには、さらに「ペイメントトークン[41]」と「ガバナンストークン[42]」があります。「ペイメント」は決済という意味で、ペイメントトークンとは、いわゆる仮想通貨のことです。ガバナンストークンは、例えば「ＤＡＯ[43]」(Decentralized Autonomous Organization、分散型自律組織)によって発行されます。図14で表されているように、ＤＡＯというのは、会社とは違って社長や部長といった階層構造がない、メンバー全員がフラットに参加できるような組織です。中央集権的な組織に対抗する分散型の組織とも言えるでしょう。したがって、ＤＡＯもまたＷｅｂ３・０の具体例であり、やはり２０２２年の今年注目されています。

ＤＡＯは株式の代わりにガバナンストークンを発行して資金調達を行います。また、ガバナンストークンの保有量に応じて投票権が与えられ、組織の意思決定に関わることができます。ＤＡＯについてはまた5章で議論することにします。

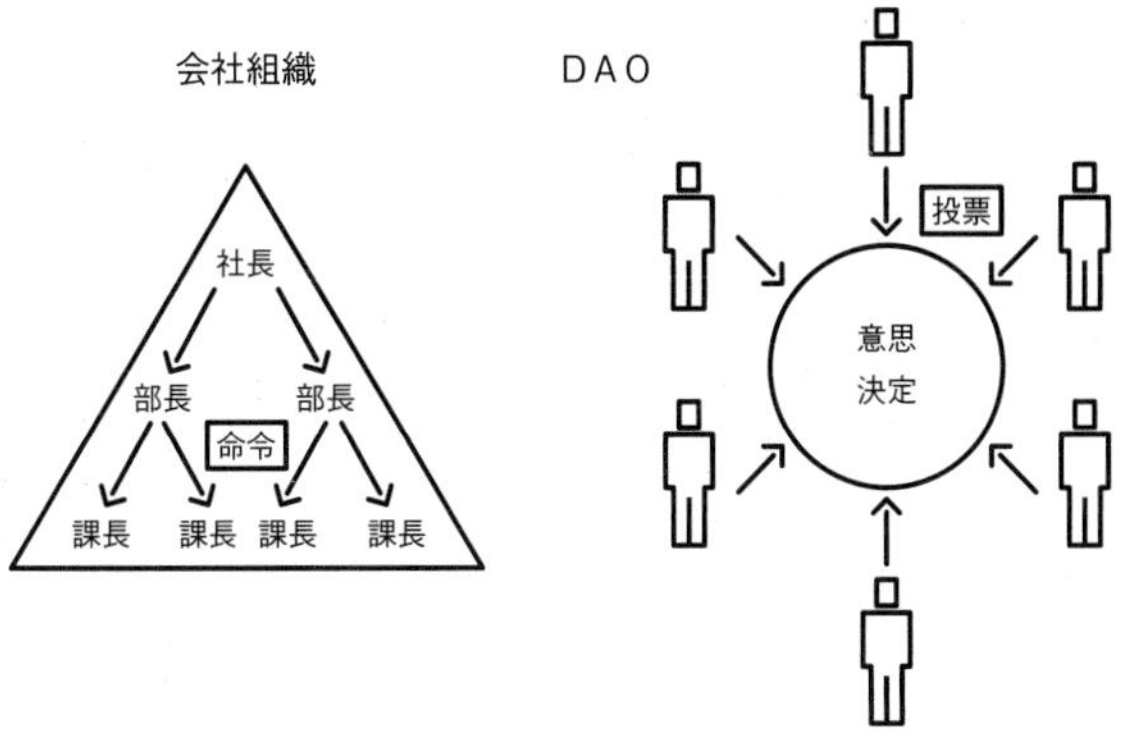

図14　会社組織とDAOの違い

ＮＦＴは、「ＮＦＴアート」とともに注目されるようになりました。リアルな世界で絵画などの芸術作品を購入すると、鑑定書がついてきます。デジタルアートの世界で、この鑑定書の役割を果たすのがＮＦＴです。要するに、ブロックチェーンを使って、デジタルアートに唯一性の保証をするわけです。

ＮＦＴアートでも勝手にコピーをすることはできますが、それには鑑定書に当たるＮＦＴが付与されていないので、偽物と判断することができます。ただし、勝手にコピーしたアートにＮＦＴを付与することもできるので、詐欺にあわないように注意する必要があります。

さらに言うと、ＮＦＴアートを購入して所有するといっても、法的に所有したことにはなりません。元々デジタルデータのような無体物には法律上所有という概念がありません。なので、ＮＦＴは所有証明書のように扱われることが多いのですが、それは法的な所有を意味しているのではなく、デジタルの世界におけるなんとなくの約束事に過ぎないのです。私はこれを「デジタル所有」と言うことにしています。

メタバースとＷｅｂ３・０

以上で見たような、ブロックチェーンの応用例である仮想通貨やＤＡＯ、ＮＦＴなどがＷｅｂ３・０の中身です。これらはＷＷＷとはそれほど直接関係はないので、Ｗｅｂ３・０は分かりにくいネーミングだと申したわけです。

それはともかく、メタバースとＷｅｂ３・０にはどのような関係があるのでしょうか？たとえば仮想通貨がメタバース内の取引で用いられる可能性があります。また、メタバース内の土地や持ち物に対して、ＮＦＴによって「デジタル所有」を保証することもできます。

それゆえ、今のメタバースブームがもたらされたのは、仮想通貨とＮＦＴが出現したからだという見解もあり得ます。少なくとも、「ザ・サンドボックス[44]」や「ディセントラランド[45]」が注目されたのは、仮想通貨とＮＦＴのおかげです。これらのメタバースでは、ＮＦＴ化された土地やアバターの着る洋服などが仮想通貨で売買されており、ＮＦＴ系のメタバースに分類されます。

ただし、メタバースにとって仮想通貨とＮＦＴは不可欠なものというわけではなく、ＶＲチャットやクラスターといった利用者の多いメタバースではブロックチェーン技術は用いられていません。

反対にザ・サンドボックスやディセントラランドは利用者が少なく、ディセントラランドのアクティブユーザーに至っては一日数十人ほどです。これらの土地購入については投機的な側面が強く、両者の仮想通貨（「サンド」と「マナ」）もＮＦＴブームに乗じて一時的に価値が上がったものの現在はかなり下がっています。

ただ、この路線は全く見込みなしかというと、そうとも言い切れません。２０２２年10月現在、Ｗｅｂ３・０型メタバースを謳《うた》う「ザナ[46]」のＮＦＴ化された土地６億円分が、９時間で完売したというニュースがちょうど流れています。仮想通貨やＮＦＴが今後メタバース内で広く使われるようになるかどうかは、まだはっきりしていません。

それでもメタバースはＷｅｂ３・０的な側面を持っていると言えます。さきほど述べたように、Ｗｅｂ３・０の持つ意味は、ブロックチェーン技術を応用した技術の総称に留まりません。Ｗｅｂ２・０では、ＧＡＦＡＭ（グーグル、アマゾン、メタ＝旧フェイスブック、アップル、マイクロソフト）のようなプラットフォーム企業が、集権的な力を手にしました。

　Ｗｅｂ３・０（というより思想運動としてのＷｅｂ３）はＧＡＦＡＭによる支配といった集権化に対抗する思想運動でもあり、ユーザーが作り出したデータをプラットフォームが囲い込むことに反対のスタンスです。メタバースの利用者は、あるプラットフォームで使っているアバターを他のプラットフォームでも使いたいという欲求が強いようです。それを相互運用性というのですが、相互運用性の実現は極めてＷｅｂ３・０的です。そういう意味では、メタバースはＷｅｂ３・０時代のサービスであると言えるでしょう。この辺りのことも5章でまた議論しましょう。

人間関係はどう変わるか

　Ｗｅｂ３・０の時代が到来しつつあり、ビジネスも教育も娯楽もメタバース化がどんどん進むように思われます。メタバース化とともに社会や人間関係はどのように変化していくのか？　簡単に論じてからこの章を終えましょう。

現在多くの人が活用しているＳＮＳでは、攻撃的な書き込みをしばしば見かけます。ツイッターなどは、かつてはみなさん「パスタなう」などと当たり障《さわ》りのないことを書き込んでほのぼのしていました。

それが普通の中年層はフェイスブックへ、若年層はインスタグラムへと移動したために、今では不平不満や怨念を抱えた人たちの吹き溜まりになり果てています。特に中高年男性が正義感に基づいて攻撃的なツイートを各方面に行い、「触るものみな傷つけ」自滅していく様は痛々しくて見ていられないくらいです。

ツイッターだけでなく、フェイスブックでも、攻撃的な書き込みをかなり見かけます。そういった殺伐《さつばつ》としたやりとりに辟易《へきえき》して「ＳＮＳ疲れ」をわずらう人も増えています。

ＳＮＳはリアルな日常に比べて、なぜこれほど口喧嘩や罵《ののし》り合いが多いのでしょうか。おそらく文字だけのコミュニケーションに、人を苛立《いらだ》たせるものがあるのでしょう。顔の表情や声の調子で伝える「ノンバーバル・コミュニケーション」が重要だというわけです。ノンバーバル・コミュニケーションとは、言語以外のコミュニケーションということです。

それが証拠に、メタバース内ではあまりケンカはなく、利用者同士で仲良くなりやすい。また、リアルの世界でコミュニケーションが苦手な人であっても、メタバース内ではわりと気楽に人と話ができます。

こう考えると、メタバースの進展とともに、ツイッターに代表される荒涼とした修羅《しゅら》の国のようなＳＮＳは一定程度衰退していくものと言えそうです。ただし、今でも、メタバース内で知り合った人同士が、ＳＮＳで連絡を取り合うといったことが多々あります。連絡手段としてのＳＮＳは不可欠なものとして残り続ける可能性が高いでしょう。

恋愛はどう変わるでしょうか？　ねむさんの『メタバース進化論』によれば、プレイ時間が１０００時間を超えるヘビーユーザーは5割以上の人が、メタバース内で恋愛を経験したことがあるということです。

メタバースでは、実空間での性別を問わず、80％近くのユーザーが女性のアバターを使う傾向にあります。なので、美少女のアバターどうしが付き合っているにもかかわらず、中の人は双方ともおじさんということが多々起こります。それを滑稽に思う人は少なくないでしょうが、そういう人達ははっきり言って時代遅れです。

メタバースでは、リアルな正体を明かさない傾向があって、多くの場合関係性はメタバースのなかで完結しているので、「中の人」に言及すること自体が野暮でしょう。メタバースは、生身の肉体の性別や年齢から解き放たれた空間です。その解放感を当たり前のように謳歌する時代が到来しつつあるのです。

仮想空間で、特に男性が美少女のアバターを操作することを「バーチャル美少女受肉」（バ美肉）と言います。ツイッターで罵り合っている中高年男性達も、メタバース内でバ美肉化して互いに抱き締め合えば、「なべて世は事もなし」です。

不思議なことに、アバター同士が重なり合ったら、直《じか》に触れ合っているような感覚が生じたという報告もあります。逆に、嫌いなアバターや赤の他人のアバターが触れてきたりすると、生理的嫌悪を感じる。だからメタバース内痴漢などもすでに問題になっており、ホライズン・ワールドでは、自分の半径１・２メートル以内には他人が入れないようにして、パーソナルスペースが保たれる設計になっています。

ストーカーや痴漢行為をどう防ぎ、どのように罰するか。リアルで結婚しているユーザーがメタバース内で他のユーザーと恋愛関係に陥った場合に不倫と呼ぶのかどうか。こうしたメタバース内の恋愛関係に関しては、法的に議論すべき問題もあるかもしれない。すでにいま、法学者や弁護士もメタバースに関する政府の会議に呼ばれています。他方で、「メタバースに法規制はいらない」とか「国家権力を介入させるな」といったＷｅｂ３的な反発も起こっています。

メタバースのなかで、新たな知人や友人、恋人をつくるようなコミュニケーションがなされる一方で、コミュニケーションなしに異世界を楽しむスタイルを選ぶ人もいるでしょう。今でも、メタバース内で自分のいる周りの空間や土地に他人を入れないようにすることができます。

将来的には、そこに「ＡＩアバター」ばかりを配置することもできるはずです。これは人が操作するのではなく、ＡＩによって人のように振る舞うことのできるアバターです。そうなると、自分に都合のいい世界ができあがるので、リアルな世界に比べて居心地よく感じる人も大勢出てくるかもしれません。

人とのコミュニケーションがなされなくなるので、本書の定義ではこれはもはやメタバースと呼べなくなります。代わりに「ソロバース」ということにしましょう[47]。「ソロ」（単独）の「ユニバース」（宇宙）ということで、この宇宙にオレ様一人だけという唯我独尊状態です。

面倒臭い人間関係をスキップできるこうしたソロバースを望む人が多数になれば、人間の根本も揺らぐでしょう。人間関係のトラブルなどの問題に直面し克服しながら成長していくという、近代における理想的な人間像から離れて、努力や成長が一切ないような世界になる可能性もあります。

その一方で、「ＶＲ睡眠」といってメタバース内で何人かで一緒に寝る人もいるようです。リアルには各々の家のベッドに横たわっているけれど、ふと目を開けるとＨＭＤ越しに一緒に眠る仲間のアバターを見ることができるというわけです。一人で眠るのは寂しいけれどパートナーがいないという人には、うってつけの解決法です。

全く人間ってヤツは一人でいたいのかいたくないのか、てんで分からないことになってきましたが、メタバースが普及するにつれて、知られざる人間の本性が露呈するかもしれず、そういったところにも私は興味を抱かされます。

注

（１）Ｗｅｂ３・０（ウェブスリー）　ＧＡＦＡＭ（グーグル、アマゾン、メタ＝旧フェイスブック、アップル、マイクロソフト）が情報を独占するインターネット社会（Ｗｅｂ２・０）に対し、ブロックチェーンなど分散的なネットワークを基礎にした非中央集権的な次世代のインターネット社会の潮流を指す。

（２）ヘッドマウントディスプレイ（ＨＭＤ）　ＶＲゴーグルやＶＲヘッドセットとも呼ばれる、

頭部に装着するゴーグルのような形状のディスプレイのこと。外界が見えないように両目は完全に覆われる。

（3）ＶＲ（Virtual Reality）「仮想現実」のこと。実際の環境を利用しているのと本質的に同等な環境を人工的に作り出す技術。バーチャルな世界でリアルに近い体験ができる。現実世界を仮想世界から完全に遮断するために、ユーザーはヘッドマウントディスプレイを装着する。

（4）ホライズン・ワールド（Horizon Worlds）アメリカのメタ（Ｍｅｔａ）社によるメタバースのプラットフォーム。２０２１年12月9日にアメリカとカナダ、スペイン、フランス限定で一般の提供がスタート。

（5）ジオング（ZEONG）「ガンダムシリーズ」に登場する架空の兵器。有人操縦式の人型兵器「モビルスーツ」のひとつ。初出は１９７９年の『機動戦士ガンダム』。

（6）ＶＲチャット（VRChat）アメリカのVRChat社によるＶＲ。「ソーシャルＶＲ」と呼ばれるメタバースの代表格。ユーザーは多種多様な「ワールド」という空間から好きなものを選び、他のユーザーとの交流を楽しめる。ＰＣ版もある。

（7）cluster（クラスター）クラスター社による日本発のソーシャルＶＲ。スマートフォンで入れる手軽さが人気で、注目のワールドなどが表示される。音楽ライブや発表会、学会などが行われている。

（8）セカンドライフ（Second Life）アメリカのリンデンラボ社による、元祖メタバースとして有名な仮想世界。ユーザーはリンデンドルという通貨で買い物ができる。

（9）バーチャルYouTuber（ＶＴｕｂｅｒ）YouTube上などで動画などの配信を行う架空のキ

ャラクターのこと。

(10) バーチャル美少女ねむ　『メタバース進化論』の著者。「バーチャルでなりたい自分になる」をテーマに２０１７年からバーチャルキャラクターの姿で動画配信を始めたＶＴｕｂｅｒであり、毎晩メタバース世界で「バーチャル美少女ねむ」として人生を送る。

(11) ネオスブイアール（NeosVR）　チェコのソリラックス社が開発したソーシャルＶＲプラットフォーム。アバターもワールド（ユーザーがメタバース内に自由に作れる仮想空間）も作ることのできる自由度の高さが特徴。アバターの移動方法には「歩行モード」だけでなく、空を飛べる「フライモード」もある。

(12) 「ドラゴンクエストX」　１９８６年に日本で発売された堀井雄二らによるＲＰＧシリーズ初のオンラインゲームのＭＭＯＲＰＧ（1章注31参照）。「エネーテの民」である主人公たちの村が滅びを迎え、主人公が冥王を倒すため旅に出るというストーリー。

(13) ＡＲ（Augmented Reality）「拡張現実」のこと。実在する風景にバーチャルの視覚情報を重ねて表示することで、目の前の風景を仮想的に拡張する技術。２０１６年に世界で大ヒットした「ポケモンＧＯ」が代表例。今後は眼鏡のような情報端末である「ＡＲグラス」、ＡＲ技術を搭載した「スマートコンタクトレンズ」などの開発が期待される。

(14) 『ソードアート・オンライン』　川原礫によるライトノベル。小説の他に漫画化・アニメ化・ゲーム化・テレビドラマ化など様々な展開が行われている。舞台は没入型のＶＲゲーム〝ソードアート・オンライン（ＳＡＯ）〟の正式サービスが開始された２０２２年。開発者によって、自発的なログアウト不可、ラスボスを倒すことが現実世界帰還への道であること、ゲーム内でＨＰ

がゼロになると現実世界のプレイヤーも死亡することが明らかにされる。累計小説発行部数は１３００万部超。

（15）ＭＲ（Mixed Reality）「複合現実」のこと。専用のゴーグルを装着してＣＧを現実世界に映し出す、現実世界と仮想世界を融合させる技術。

（16）ＸＲ（Cross Reality、クロス・リアリティ）ＶＲ（仮想現実）・ＡＲ（拡張現実）・ＭＲ（複合現実）など、現実世界と仮想世界を融合して新しい体験を作り出す技術の総称。

（17）ホライズン・ワークルーム（Horizon Workrooms）アメリカのメタ社によるＶＲ。利用者がどこにいても同じバーチャルルームに集って仕事ができるリモートオフィス体験。メタ・クエスト2の利用可能な国であれば使用可能。

（18）メッシュ・フォー・マイクロソフトチーム（Mesh for Microsoft Teams）マイクロソフトが２０２２年に提供を開始した、物理的に異なる場所にいる人々が共同作業に参加できるＭＲ機能と、仮想会議への参加、共有ドキュメント上でのコラボなどを可能にするサービス。

（19）レヴワールズ（ＲＥＶ ＷＯＲＬＤＳ）仮想新宿が舞台のメタバースで、仮想伊勢丹新宿店が営業中。アバターファッションを楽しみながら買い物ができる。

（20）Ｎ高等学校・Ｓ高等学校　沖縄県うるま市伊計島と茨城県つくば市に本校がある通信制高等学校。学校法人角川ドワンゴ学園が創立し、２０１６年に開校した。生徒数は2万人を超え、高校としては日本一の生徒数。

（21）バーチャルキャスト（Virtual Cast）ドワンゴとインフィニットループが共同開発したＶＲでのコミュニケーションサービス。YouTube ライブやツイキャスに対応している。

(22) 期間限定公開であるため、現在は見ることができない。

(23) バーク（ＶＡＲＫ）　バーチャルアーティストのライブをはじめ、キャラクターの世界に飛び込めるイベントが楽しめるメタバース。「テレ東バーチャル音楽フェス」などが行われている。

(24) 「フォートナイト」(Fortnite)　アメリカのエピックゲームズ社による大規模マルチプレイヤー参加型のゲーム。コンサートの鑑賞や島の作成、バトルなどが楽しめる。

(25) 『ニューロマンサー』「サイバーパンク」の代名詞とも言える、ウィリアム・ギブスンによる１９８４年発表の長編ＳＦ小説。超巨大電脳ネットワークが地球を覆い、人間が電脳世界に丸ごと没入する近未来の、巨大企業と「ヤクザ」が跋扈する千葉市（チバシティ）が舞台。

(26) 『スノウ・クラッシュ』　アメリカの作家、ニール・スティーヴンスンによる１９９２年発表の小説。連邦政府が弱体化し、資本家による「フランチャイズ国家」が乱立するなか、オンライン上に仮想空間「メタバース」が築かれている近未来のアメリカが舞台。メタバースとともにアバターの概念もこの小説から生まれた。

(27) 『サマーウォーズ』　２００９年公開の細田守監督アニメ作品。あることをきっかけに仮想空間ＯＺ（オズ）で起こった事件に巻き込まれ、指名手配された数学が得意な主人公が、憧れの先輩一家とともに、仮想世界の暴走を止めるべく奮闘する姿を描く。

(28) 『レディ・プレイヤー1』　スティーブン・スピルバーグ監督作品。２０１８年公開。気候変動や政治の機能不全で荒廃した２０４５年、人類の多くは自らをアバターに変え、「オアシス」というＶＲ世界に入り浸って現実逃避をしている。「オアシス」創設者の莫大な遺産を巡る争奪戦に少年が挑む姿を描く。

（29）富士通ハビタット（Habitat）　アメリカのルーカスフィルム（のゲーム部門）からライセンスを購入し、１９９０年2月に富士通が日本で提供を開始した画像付きチャット。２Ｄのアバターを操作して仮想の街の中で交流可能で、当時としては画期的だった。

（30）アメーバピグ（Ameba Pigg）　２００９年にサービスを開始したサイバーエージェントが運営する仮想空間アバターコミュニティサービス。自分にそっくりなアバター「ピグ」を作って広場（オープンチャットルーム）でチャットを行うのがメインの機能。

（31）ＭＭＯＲＰＧ（Massively Multiplayer Online Role-Playing Game）「大規模多人数同時参加型オンラインＲＰＧ」のこと。富士通ハビタットを経て、１９９１年に最初のＭＭＯＲＰＧとされる「Neverwinter Nights」がアメリカのオンラインでスタートした。

（32）「ウルティマオンライン」(Ultima Online)　リチャード・ギャリオットによるＭＭＯＲＰＧの始祖の一つで、オンラインＲＰＧの発展に大きな影響を与えた。１９９７年アメリカで発売開始。

（33）「ファイナルファンタジー」　１９８７年に日本で発売された坂口博信らによるＲＰＧシリーズ。土・火・水・風の四つのクリスタルの輝きを遮る「4体のカオス」を倒して暗黒に包まれた世界を救うというストーリー。Ⅶにおいて2Dから3Dになり、Ⅺがシリーズとして最初のＭＭＯＲＰＧに。２０２３年にⅩⅥが発売予定。

（34）ロブロックス（Roblox）　２００６年にリリースされたアメリカのロブロックス社による子ども向けオンラインゲームプラットフォーム。20年頃からアクティブユーザー数が増加して急成長した。クリエイターや企業がゲームを制作して公開できる。「格闘や戦闘」「現実世界ロールプレイ」といったジャンルに分かれている。

(35) アンリアルエンジン（Unreal Engine）　アメリカのエピックゲームズ社が開発したソフトウェア。

(36) ブロックチェーン（blockchain）　ビットコインを実現するために開発された、情報を記録するデータベース技術の一種。ブロックと呼ばれる単位でデータを管理し、それを1本の鎖（チェーン）のように連結してデータを保管する。

(37) ビットコイン　仮想通貨（暗号資産）の代表格。２００８年に「サトシ・ナカモト」と名乗る人物がインターネット上に公開した論文の中で構想が示され、それを受けて運用が開始された。

(38) トークン（token）　直訳すると「印」「象徴」「記録」などの意味。そこから転じて、近年では仮想通貨やＮＦＴなどのようにブロックチェーン技術を用いて発行された電子的な証票（デジタル上での価値を象徴するもの）を指す。

(39) ＦＴ（Fungible Token）　仮想通貨のように代替可能なトークンのこと。

(40) ＮＦＴ（Non-Fungible Token）「非代替性トークン」のこと。ブロックチェーン上のデジタルデータにシリアルナンバーを付すことで、代替不可能な唯一無二の存在であることを証明する。

(41) ペイメントトークン（payment token）　決済に使われるトークン。

(42) ガバナンストークン（governance token）　コミュニティの重要な意思決定を行う際に所有者に投票権を与えるトークンのこと。

(43) ＤＡＯ（Decentralized Autonomous Organization）「分散型自律組織」のこと。目的を同じくする実務者と暗号資産投資家の集まりのような組織。事業の参加者には現金や株の代わりにガバナンストークンが提供され、トークン保有者は事業の運営方針に意見を言うことができる。

（44） ザ・サンドボックス（The Sandbox） ブロックチェーンを利用したメタバース。独自トークンはサンド（ＳＡＮＤ）。ランド（ＬＡＮＤ。仮想の土地のＮＦＴ）やアイテムを売買可能。

（45） ディセントラランド（Decentraland） カリフォルニアを拠点とする非営利団体「Decentraland Foundation」によるブロックチェーンを利用したメタバース。プラットフォーム上の土地やアイテムを売買可能。トークンはマナ（ＭＡＮＡ）。

（46） ザナ（ＸＡＮＡ） 日本のノーボーダーズ社によるＷｅｂ３・０型メタバース。ユーザー自身が所有権を持つＮＦＴとして土地を販売、開発を行う。

（47） 「アンメタバース（Unmetaverse）」という一人ぼっちの人向けのメタバースがある。ここでは他の人のアバターも存在するものの、互いに話をすることはできず、身振り手振りでコミュニケーションを図るしかない。

2章　この世界はスマート社会とメタバースに分岐する

ＡＩブームの終わりが意味するもの

本章では、メタバースをもう少し大きい歴史的な流れの中に位置づけてみたいと思います。特に焦点を合わせたいのは産業革命との関わりです。

現在、第四次産業革命が起こりつつあると言われています。その中でいちばん重要な技術がＡＩです。２０１６年からＡＩブームが起こり、コロナ前の２０１９年頃にはおよそ収束して、かわりに「ＤＸ」[1]（デジタル・トランスフォーメーション）というロボットアニメめいたかっこいい（ちょっと恥ずかしい）キャッチコピーがビジネス界を席巻しています。

とはいえ、ＤＸとは「ＡＩを含めてデジタル技術をもっと活用していきましょう」という趣旨のコンセプトなので、名前がすりかわっただけでＡＩ活用が重要だという点は変わりません。技術の導入は、むしろブームが過ぎ去ってからが本番なのです。

アメリカのガートナー社が毎年発表している「ハイプ・サイクル」[2]というテクノロジーが登場した後の動きを視覚的に説明した図があります。図1はそのイメージであり、実際には、「ＡＩ」だとか「５Ｇ」といったような技術がグラフの上にプロットされています。

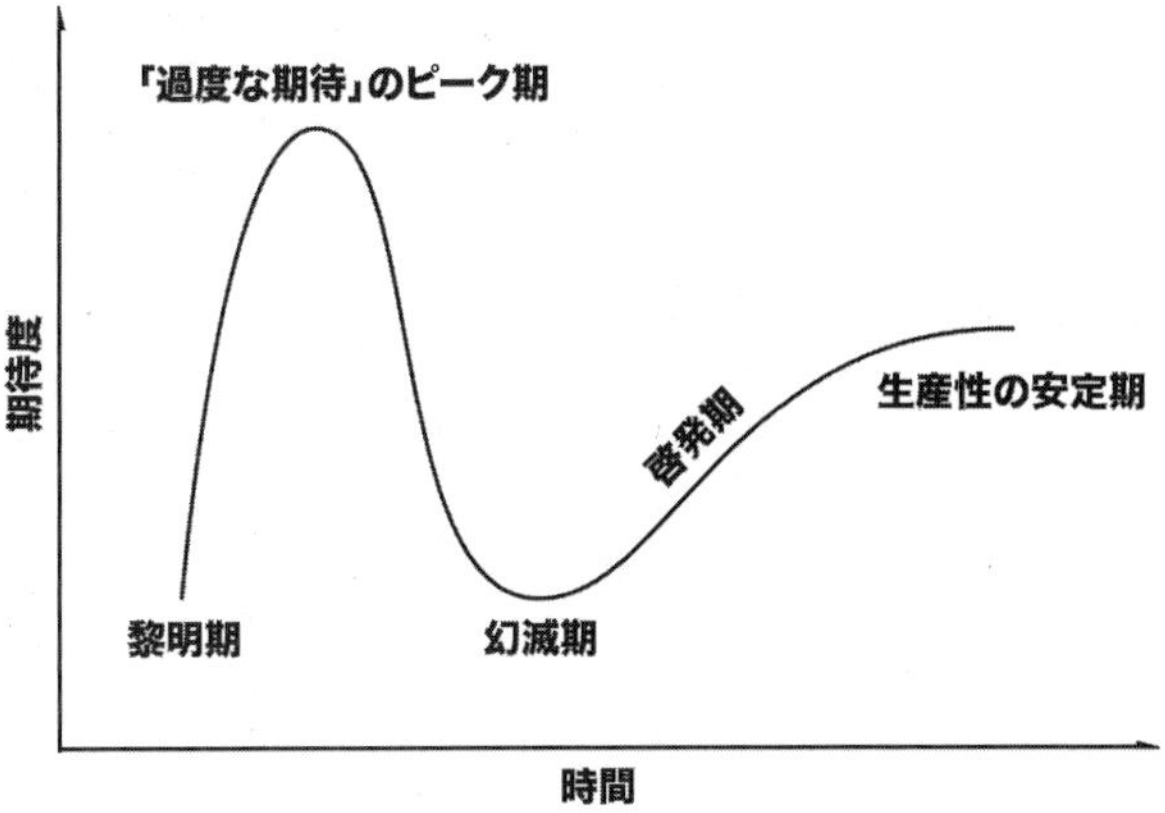

Gartner, リサーチ・メソドロジ　ハイプ・サイクル
www.gartner.co.jp/ja/research/methodologies/gartner-hype-cycle

図１　ハイプ・サイクルの概念図

ある技術が登場したばかりの時期には大きな期待が寄せられます。ＡＩに対しても、「過度な期待」のピーク期には、人間並みの知性を備えた汎用ＡＩ[3]が近々実現するとか、それをロボットに組み込めばドラえもんのようになるとか、ごく近い将来に革命的なＡＩが生まれるというようなことがまことしやかに語られました。

　ＡＩの知性が人間の知性を追い越すという「シンギュラリティ[4]」（技術的特異点）論も流行りました。アメリカの著名な発明家で未来予測家のレイ・カーツワイルさんは、シンギュラリティが２０４５年に到来すると予測しています。

　カーツワイルさんによれば、２０１５年

の時点では1000ドル（約15万円）で買えるコンピュータの計算速度はネズミの脳と同程度でしたが、2025年には人間一人の脳に、2045年には全人類の脳すべてに匹敵するようになるといいます。

つまり2045年には、家電量販店で気楽に買えるパソコン一つで、全人類分の脳と同等の情報処理ができるようになるということです。しかし、15万円くらいの手軽に買えるパソコンという基準はぼんやりしたものですから、2045年という数字に大きな意味はありません。

シンギュラリティの発生を説明する仮説として「知能爆発」というものがあります。これは、AIが自分より少し賢いAIを作れるとするならば、その賢いAIがさらに自分より賢いAIを作り、と高速に繰り返していくことで、あっという間に神のごとき超AIへと進化を遂げるようになるという仮説です。

おそらく知能爆発が簡単に起きることはないでしょう。AIがAIを作れるようになったとしても、自分より賢いAIを作れるようになるかというと、それはまた別の話です。私たちは、何をもって賢いと言うのかすらはっきりと定義づけできずにいます。定義によっては、自分より賢いAIを作るAIを私たちが作ることは原理的に不可能であるかもし

ームが去った後にもその技術を追求し続けた者こそが、ビジネスを制するのです。

それと同じことがＡＩについても当てはまります。ＡＩが幻滅期を超えてインターネット以上に世界を激変させる技術になることに私は疑いを持っていません。仮にＡＩが今後まったく進歩せずに、今の水準の技術がただ普及するだけでも、経済や社会は様変わりするはずです。

これからブームとは関係なくますますＡＩの導入が図られていく段階に入るものと確信しています。そのような確信があるので、私自身、ゼミ生の中から希望者を集めて、ＡＩプログラミングを教え続けています。教え子達は経済学部の学生ですが、ＡＩ時代には文系の人間でもＡＩ技術に精通していることが大きな武器になるだろうと思っています。

「ＡＩが仕事を奪う」論はどこへいったのか

私たちがＡＩ時代に突入しつつあることは確実でしょう。それが証拠に、２０２２年の後半に入ってからＡＩへの注目度が再び高まってきました。というのも、「画像生成ＡＩ」が流行しているからです。これは「乗馬する宇宙飛行士の写真」などと言葉を入れると、図２のような画像を作ってくれるＡＩです。

Asanagi, CC0, via Wikimedia Commons

図2　「Stable Diffusion」で「乗馬する宇宙飛行士の写真」と指定して出力された画像

「Stable Diffusion」[5]という画像生成ＡＩは、２０２２年8月に無償で公開されて以降、ＳＮＳの私のタイムラインでは話題にのぼらない日はないくらいです。派生的なソフトウェアやサービスもいくつか作られており、ＬＩＮＥで「お絵描きばりぐっどくん」というアカウントをフォローすると、簡単に画像を作らせることができます。例えば、「ゴッホが描いた東京タワー」と打ち込むと、図3のような画像をすぐに生成してくれます。みなさんもぜひ試してみてください。

　大学でＡＩを学んでいた身からす

図3　「お絵描きばりぐっどくん」で「ゴッホが描いた東京タワー」と指定して出力された画像

ると、今のＡＩは魔法のようです。「これ作って、あれ作って」などとお願いすると、デジタルコンテンツに限ってはなんでも生成してくれるようになりつつあります。

そんなＡＩの進歩を目にして、「人間の仕事を奪うのではないか？」というＡＩ失業論が再燃しています。最初にＡＩ失業論の起爆剤になったのは、２０１３年にオックスフォード大学研究員のカール・フレイさんと准教授のマイケル・Ａ・オズボーンさんが発表した『雇用の未来』という論文です。

そこでは、７０２もの職業について、10～20年後にコンピュータなどによってオートメーション化されて消滅する確率をはじき出していて、レジ係やタクシーの運転手が消滅しやすい職業として挙げられていました。

こうした「雇用の未来」の結論に対し、労働経済学者によって、ＡＩなどが特定の職業をまるごと奪うことは考えにくいとの指摘が多々なされました。一つの職業の中にはさまざまなタスクがある。そのうちのいくつかのタスクは消滅するにしても、職業自体が消えてなくなるわけではないだろうと。それで、ＡＩは仕事を奪わないとのコンセンサスが半ば形成されて、この問題が論じられることは専門家の間ですら少なくなりました。

しかしながら、職業自体が消滅しなかったとしても、職業の中のタスクのいくつかが消滅すれば、その職業の雇用は減ります。それに、私に言わせれば、職業が消滅するかどうかはそもそも重要な論点ではありません。

これまでも、自動車の登場によって馬車を操る御者という職業が無くなったり、電卓やコンピュータの登場によって計算手という計算を行う職業が無くなったりしました。しかし、職業がまるまる無くなることはそれほど頻繁に起こるわけではありません。

したがって、職業が消滅するかどうかではなく、どの職業がどの程度雇用を減らすかをより重点的に検討すべきです。消滅しなくても雇用が8割減るというだけで、その職業に就いている人にとっては死活問題です。

アメリカでは近年、ＡＩによって資産運用アドバイザーや保険の外交員といった金融関連の職業で雇用が減り続けています。資産運用や保険の購入に関するアドバイスを行う「ロボ・アドバイザー」というソフトウェアが、人間の資産運用アドバイザーや保険の外交員の雇用を減らしているわけです。他にも証券アナリストやパラリーガル（弁護士助手）が仕事を奪われています。

それに対し、日本ではＡＩの導入が遅れていたのと、終身雇用制が未だに残っていたので、ＡＩ失業は目立って起きませんでした。そんな中、２０１８年に、大手銀行は軒並み従業員の削減を計画しました。例えば、みずほ銀行は10年かけて従業員を3割減らすと発表したのです。

しかし、新卒採用の抑制という形で対応し、あからさまな解雇を避けることができたので、ＡＩ失業の問題は露呈することなく今日まで来ています。かつて銀行と言えば、文系学生が就く職業としては最も人気がありましたが、最近は学生の方でもあまり志望しなくなっており、そういう点から言っても、おおごとにはなっていないのです。

そんな日本でも、２０２２年になって画像生成ＡＩの出現で、デザイナーやイラストレ

2022/9/8配信のCNNの記事「AI作品が絵画コンテストで優勝、アーティストから不満噴出」より

図4　ジェイソン・アレンさんがAIを使って制作した絵

ーター、画家の仕事が奪われる脅威《きょうい》が浮上したのです。オリジナリティが必要のない画像を作るのであれば、ＡＩで事足りるのではないかというわけです。しかも、ＡＩが作る絵も近頃は十分な芸術性を帯びてきています。

　図４の絵を見て、私は近代以前の王室のような崇高さと神秘性を感じさせつつも、それでいてどこか未来のおもむきがあって素晴らしいと感服しました。みなさんももう薄々分かっているかと思いますが、これはＡＩが生成した画像です。Stable Diffusionと同様に画像を生成してくれる「ミッドジャーニー」[6]というＡＩソフトウェアを用いています。

　これが、人間の作った作品を押しのけて、絵画コンテストで優勝してしまいました。一部のアーティストからは、「ムカついた！」「ＡＩひっこめ！」などと怨嗟《えんさ》の声が上がっています。

米国競争力評議会の上級研究員であるマーク・ミネビッチさんが、「（ＡＩ革命は）ウォール街の魂を直撃し、ニューヨークの街全体を変えるだろう」と言ったように、ＡＩは金融業界を劇的に変革しつつあります。

同様に、画像生成ＡＩがこれから、デザイン、漫画、アニメ、絵画などの視覚的なコンテンツの分野で破壊的なインパクトをもたらしていくでしょう。我々は、ＡＩの持つ潜在的なパワーのまだ１０００分の１も目にしていないのです。

メタバースとＡＩ

ＡＩはデザイナー（やイラストレーター）の仕事を減らす可能性が高いわけですが、メタバースの普及は反対にデザイナーの仕事を増やすでしょう。メタバース内のワールド、アバター、洋服、建物、自動車、家具、これらを作るのは全てデザイナーの仕事になるからです。

ですので、ＡＩとメタバースの雇用に対する影響をトータルで考えると、果たしてこれからデザイナーの仕事は増えるのか減るのか、なんとも言えなくなります。メタバースがせっせと増やした仕事をＡＩがせっせと減らしていく。そんな追いかけっこのような構図になっているのです。

　いずれにせよ画像生成ＡＩの活躍の舞台は拡大していくことになります。メタバース内に、同じようなアバターがいくつも存在したら、誰が誰だか分からなくなります。ところが、オリジナルのアバターを人間のデザイナーが作って、そこに少し違いを設けたバリエーションをＡＩに大量に作らせるということも可能です。

　メタバース内のデジタルな洋服や自動車も同様に、多様なデザインを実現することができるでしょう。実空間で一点ものの自動車を製造することは困難ですが、メタバースの世界ではＡＩを使って簡単にできてしまいます。

　あるいは、「敵対的生成ネットワーク[7]（Generative Adversarial Networks、ＧＡＮ、ギャン）」などの「生成モデル」と呼ばれるＡＩ技術を応用すれば、オリジナルなアバターを自動生成することも可能です。

　ＧＡＮは「ディープフェイク」を作る技術としてよく知られています。ディープフェイクとはＡＩ技術で作られた本物と見分けがつかないような嘘の画像や動画のことで、今年

（２０２２年）はウクライナのゼレンスキー大統領が兵士に投降を呼びかける動画を、ロシア側が捏造したというニュースもありました。

京都大学発のＡＩベンチャーであるデータグリッド社は、ＧＡＮを応用して架空のアイドルを作ったり、写真素材を提供するイメージナビ社と組んで架空のモデル画像「INAI MODEL」（イナイモデル）を売り出したりしています。

メタバースでのＡＩの活用の仕方は他にもいろいろと考えられます。前章で述べたように、メタバースでは人間ではなくＡＩが操作する「ＡＩアバター」も登場するはずです。その際に、人間らしく振る舞うＡＩを作るのにも、ＧＡＮは使われるでしょう。メタバース内の犬や猫のような動物が、動物らしく振る舞うのにもＧＡＮを応用することができます。

さらに、汎用ＡＩをつくるうえでメタバースが有効ではないかとも考えられます。というのも、汎用ＡＩの開発にあたって大きな障害になっているのが「身体性」だからです。ＡＩには身体がないので、人間のような学習ができない。人間は脳だけでなく身体を使って言葉を覚えていきますが、身体のないＡＩにはそれができません。

「猫」といえば、言葉の意味としては哺乳類のネコ科の動物を意味するが、我々はまず視覚的なイメージとして猫を捉えている。ここまでなら画像認識というＡＩの技術でも判断可能ですが、それだけでは不十分です。猫は気まぐれで、犬と違ってあまり我々の役に立つ生き物ではない。だから「猫の手も借りたい」といった言葉があるのです。

そうしたさまざまなイメージや特徴も全部ひっくるめて「猫」なので、現実世界の中で身体を動かして生活し、忙しいから誰でもいいので手伝って欲しいという困難な状況を体験しない限り、「猫の手も借りたい」という言葉の真の理解には至らないのです。

したがってＡＩだけでは、私達人間が当たり前に行っている常識的な理解や判断ができない。ＡＩをロボットに組み込んで人間と同じように生活させないといけない。子供が成長過程で学ぶのと同じように、ロボットも様々な概念をそうした生活の中から学べるようにすべきだ。こうした考えは、立命館大学教授の谷口忠大さんが、「記号創発ロボティクス」として提案しています。

しかしながら、ロボットのような物理的な機械を作るのは大変です。代わりに、メタバース内でＡＩが生活するというのでも、我々が身につけるような形で言葉を習得することが可能になると考えられます。それならば、物理的な機械は必要なく、純粋にソフトウェアだけの開発で済ませることができます。メタバースの活用こそが、汎用ＡＩ実現の近道かもしれないのです。

ただし、仮想空間は実空間ほどリッチではないので、メタバース生まれでメタバース育ちの汎用ＡＩはその中では様々なタスクをこなすことができても、実空間のロボットに組み込まれたらうまく働けないかもしれません。

また、メタバースのワールドを開発するために、ＡＩを使うという方向性もあります。ＧＡＮを使って、この世のどこにもないけれど、いかにも存在しそうな３Ｄグラフィックスの街並みを作ることも可能になるでしょう。中国っぽい街並みやインドっぽい街並みといった、それぞれの国や地域の特徴を備えた街並みを作ることもできるはずです。

ＡＩを使って現実そっくりな３Ｄグラフィックスの街並みを自動でつくり出す技術は、既に存在しています。ＩＴ企業のメタップス社の創業者である佐藤航陽さんは、今はスペースデータという会社で、そういう技術の開発に取り組んでいます。これは広くデジタルツイン（的な仮想空間）をつくるために使えます。もちろん、前章で述べたようなデジタルツイン系のメタバースを作るのにも使われるようになるでしょう。

工業革命と情報革命

このように、ＡＩとメタバースはさまざまな点で補完関係にあり、両者は第四次産業革

	工業革命		情報革命	
	第一次 **（軽工業）**	**第二次** **（重化学工業）**	**第三次** **（情報産業）**	**第四次** **？**
汎用目的技術 **（カギとなる技術）**	蒸気機関	内燃機関、 電気モータ	コンピュータ、 インターネット	AI、 ビッグデータ、 IoT
エネルギー	石炭	石油	原子力	再生可能 エネルギー
ヘゲモニー国家 **（覇権国家）**	イギリス	アメリカ （ドイツ）	アメリカ	アメリカ、 中国、インド
時期	1770～ 1830年	1860～ 1914年	1995年～	2030年～？

図5　産業革命の変遷

命を代表する技術・仕組みとして位置付けられます。図５のように、各産業革命には、それを引き起こす「汎用目的技術」が対応しています。様々な用途に使うことのできる技術のことです。

　１８００年前後に発生した「第一次産業革命」の汎用目的技術は、蒸気機関です。「第二次産業革命」は、１９００年前後に内燃機関（ガソリンエンジン）や電気モータなどによって引き起こされました。「第三次産業革命」は諸説ありますが、私は２０００年前後にコンピュータとインターネットなどによって引き起こされたＩＴ革命（ないしＩＣＴ革命＝情報通信革命）としてとらえています。

「第四次産業革命」はこれから起こる革命なので未知数の部分もあります。一般的には、ＡＩの他ＩｏＴ[8]（モノのインターネット）やビッグデータなどによって引き起こされると目されています。

ＩｏＴは、机や椅子など様々なものにコンピュータのチップがとりつけられ、それがインターネットにつながって通信するような仕組みです。ビッグデータは文字通りたくさんのデータを意味しています。

ＶＲやブロックチェーンや３Ｄプリンタも汎用目的技術に含めていいかもしれません。そうすると、ＶＲ対応のメタバースやブロックチェーンに基づいた仮想通貨やＤＡＯ、ＮＦＴといったＷｅｂ３・０の技術・仕組みも第四次産業革命の申し子ということになります。

なお、第一次から第四次のそれぞれに対応するエネルギーは、石炭、石油、原子力、再生可能エネルギーと変遷しています。ただし、現在原子力が主力になっているわけではないし、これから再生可能エネルギーが主力になるとは限りません。それぞれの革命期に利用が増大したエネルギーといった程度にとらえてください。

産業革命を考えるうえでなにより重要なのは、各汎用目的技術をいち早く導入して普及させた国がヘゲモニー（覇権）を握ってきたということです。第一次産業革命ではイギリス、第二次産業革命ではアメリカ（ヨーロッパではドイツ）、第三次産業革命では引き続きアメリカが覇権を握りました。第四次産業革命ではアメリカと中国の覇権争いとなり、

２０３０年ぐらいにはインドが加わって三つ巴《どもえ》の争いに発展する可能性があります。

これら四つの産業革命をもう少し俯《ふ》瞰《かん》してみると、第一次と第二次の産業革命を「工業革命」とひとまとめにすることができます。同様に、第三次と第四次を「情報革命」という一続きの革命と見なせます。

情報革命についてはまずは単純化して、「第三次産業革命＝ＩＴ革命」「第四次産業革命＝ＡＩ革命」ととらえておきましょう。そのうえで両者の違いについてもう少し詳しく考えていきます。

ビットがアトムを支配する

図６のように人間の営みは、物質の世界と情報の世界にまたがっている。物質の世界では物を作ったり運んだりする。また、治療したり介護したりといった他人の身体に対する働きかけも行う。情報の世界では、言葉を使って情報のやり取りをし、頭を使って情報を処理している。石器時代だろうが近代だろうが、人間の営みはそれ以外にありません。

音楽を聴いて感動したり、恋をしてドキドキしたりするのは、どこに入るのか？　と疑問に思う人もいるかもしれない。味もそっけもない話をすれば、何らかの刺激に反応して

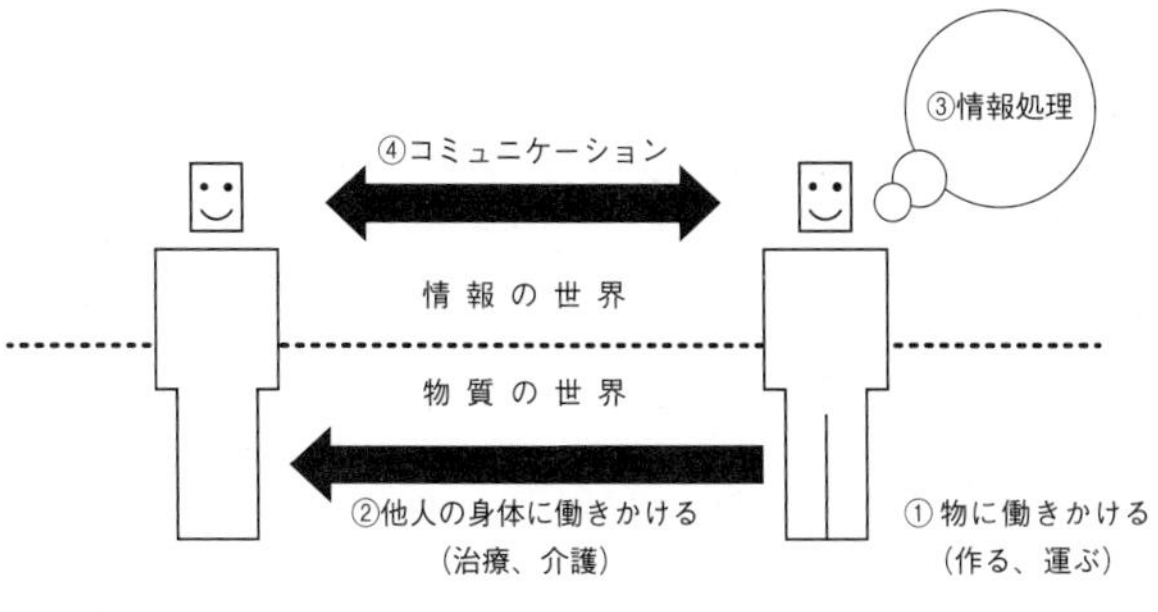

図6　人間の営み

いるという意味で、それは情報処理以外の何ものでもないということになる。それでも、人間のような生命は機械と違って、情報処理には回収し切れない感覚を有しているかもしれません。その点については6章で論じます。

　いずれにせよ、情報革命のポイントの一つは、人間がこれまでアナログで行っていた情報のやり取りや情報処理が、デジタル化された点にあります。第三次産業革命では、パソコンとインターネットが普及し、あらゆる人間どうしの情報のやり取り、すなわちコミュニケーションがデジタル化されてきました。

　それが第四次産業革命では人間の頭脳の代わりにＡＩが情報処理を行うようになる。そればかりでなく、物理的な物をデジタル技術が操作するようになる。それが「スマート化」と呼ばれるものです。

　たとえばＡＩによって制御された賢い自動車を「スマ

ートカー」といいます。自動運転車はスマートカーの一種ですが、現在販売されている自動車の多くも既に、自動運転車ではないにしてもスマートカーに含まれます。なぜなら、自動で車間距離をとったり、車線を逸脱した時にアラートを発したりといったスマートな機能がいくつも搭載《とうさい》されているからです。

これからは自動車ばかりでなく、住宅や工場、街もＡＩによってコントロールされ、スマート化されるようになるでしょう。それらは、各々「スマートホーム」「スマートファクトリー」「スマートシティ」と呼ばれています。

例えば、スマートホームは「暑いな」と言うだけで、自動的にエアコンのスイッチを入れてくれたり、「カーテン開けて」と言うだけで、自動的にカーテンを開けてくれたりするような仕組みを備えた住宅です。

そうやって物質の世界にあるものをデジタル技術がコントロールするようになることを、私は「ビットがアトムをコントロールする」とか「ビットがアトムを支配する」と表現しています。ビットはデジタルデータの最小単位で、アトムは元々物質の最小単位を意味していました。

第四次産業革命が第三次産業革命と異なるのはこの点です。第三次産業革命では、ＩＴ

がデジタル空間のみで使われていましたが、第四次産業革命では、ＡＩを含むＩＴが実空間にある住宅や街などをコントロールするようになります。

　コンピュータが広く使われインターネットが普及しただけでは、実空間のコントロールにまでは至れません。しかし、ＡＩやＩｏＴ、あるいはドローンやロボット、自動運転車のような「スマートマシン」（賢い機械）が利用されるようになれば、デジタル技術によって実空間をコントロールすることが可能になるわけです。それゆえ今や、物質の世界における作業を自動化し、生産活動を無人化することが目指されています。

　たとえば日本の小売業では、福岡を拠点としてディスカウントストアなどを経営するトライアルカンパニー社が、「リテールＡＩ」（小売ＡＩ）技術を実店舗内で駆使しています。そこで中核的な役割を果たすのは「ＡＩカメラ」です。これは、ビデオカメラの映像をＡＩで解析する仕組みのことです。

　このＡＩカメラが商品棚の様子を絶えず監視することによって、不足している商品があればアラートを鳴らしてスタッフに知らせます。これまでは人が広い店内を見回って、足りない商品があるかどうかチェックしなければなりませんでしたが、ＡＩカメラによって、自動でこうした欠品管理ができるようになったのです。

トライアルカンパニーは、こうした取り組みの末に、完全無人店舗の実現をめざしています。いわば、巨大な自動販売機を作ろうとしている。そこではすべてが自動化されて、小売に人が必要なくなります。

物流では、ディー・エヌ・エーとヤマト運輸が、「ロボネコヤマト」というプロジェクトで自動配送を目指しています。ロボネコヤマトは、利用者がスマホで場所と日時を指定しておくと、自動運転車が荷物をその場所まで届けてくれるサービスです。

利用者は、自動運転車に内蔵された宅配ボックスのようなロッカーにスマホのＱＲコードをかざして、荷物を取り出すというものです。２０１８年４月には神奈川県藤沢市で自動運転車での実証実験を成功させています。

建築においても、小松製作所（コマツ）や大成建設などが建設機械の自動化を進めています。鹿島建設の「クワッドアクセル」という仕組みを使えば、将来的には作業データを与えるだけで、あとは複数の建設機械が全て自動的に作業を行うようになります。作業員は、現場には誰もおらず、モニターを見て管理する人が一人いれば良くなるのです。

農業分野では、ドローンが農薬を農地にただ散布するだけでなく、害虫がいたら低空飛行してピンポイントで薬剤を噴きかけてくれます。やせた土地に重点的に肥料をまく「可変施肥」という技術もＡＩによって可能になりました。

自動で草を刈ってバッテリーが少なくなったら勝手にステーションに戻って充電するルンバのような草刈りロボット「クロノス」もすでに利用されています。パナソニック社のトマトを収穫するロボットも実際に使われており、クボタ社は完全自律走行のトラクターを開発しています。

いずれ、農業は肉体労働がほとんどなくなり、企画や管理がメインであるようなホワイトカラーの仕事になるでしょう。東京にいながら北海道の農地で農業を営む「超リモート農業」も可能になると思います。ただし、そのような「完全スマート農業」が一般的になるのは、そんなに近い未来の話ではありません。

政府は、２０３０年までに物流の完全無人化、２０４０年までに建設工事と農業の完全自動化（無人化）の実現を目指しています。私はそんなに簡単には進まず、その頃せいぜい完全自動化に必要な技術がおよそ出そろうくらいだろうと踏んでいます。技術の普及には時間がかかるので、建築についていえば、完全無人化が「ほぼ」実現するのでも、２０５５年くらいになるものと思われます。

社会のスマート化とメタバース化は双対で進む

いずれにしても、AIやIoTなどが、家や街をコントロールし、実空間における生産活動すら自動化されていく。そのような時代に、我々はどのような社会を目指すべきでしょうか？

日本政府が内閣府を中心にして、「ソサエティ5・0」というヴィジョンを掲げています。ソサエティ1・0から5・0は、それぞれ以下のような社会を意味しています。

ソサエティ1・0：狩猟社会
ソサエティ2・0：農耕社会
ソサエティ3・0：工業社会
ソサエティ4・0：情報社会
ソサエティ5・0：超スマート社会

現在の社会はソサエティ4・0、つまり情報社会であって、ソサエティ5・0というのはこれから到来する「超スマート社会」を意味しています。

超スマート社会というこのヴィジョンは、経済発展だけでなく社会問題の解決にも軸足が置かれており、少子高齢化や疲弊している地域社会などの具体的な社会問題をＡＩやＩｏＴを使って解決しようという未来図を掲げています。さらにＳＤＧｓに準拠しているので、男女平等や格差解消を達成するなど、誰も取りこぼさないというゴールを、先端技術を使って実現することを目指しています。

それはあくまでも理想論なので、実際にこの世の中が進んでいった先にあるものを単に「スマート社会」ということにしましょう。それはつまり、「ビットがアトムを支配するような社会」です。

実空間はＡＩやＩｏＴなどによってどんどんスマート化されていく。ここまでは以前から私も考えて本に書き表してきたことですが、それとは別に、メタバースという新たな社会が誕生し、発展していくという観点が必要なことに最近気づきました。

メタバースとは、情報革命を象徴する最大の産物とも言えます。それに対し、スマート社会というのは、ある意味では工業革命からの流れの中にあります。というのも、ＡＩやＩｏＴ、スマートマシンによる自動化や無人化は、蒸気機関や電気モータ、家電製品などが人間の労働を効率化したり、代替したりするという工業革命の延長上にあるからです。

ところが、情報革命は単なる代替化や効率化とは別に、森羅万象《しんらばんしょう》をデジタル化するという側面を持っており、その究極の姿がメタバースということになります。したがって、メタバースは工業革命の延長上にはありません。

情報革命が引き起こすデジタル化は、図7のように大きく「情報処理のデジタル化」「情報処理の対象のデジタル化」「コミュニケーションのデジタル化」という三つに分けることができます。

「情報処理のデジタル化」とは、人間の頭脳で処理していたことを、ソフトやアプリが肩代わりし、さらにＡＩがそこに組み込まれていくこと。そして、その究極の姿がスマート社会になります。

一方、「情報処理の対象のデジタル化」とはどういうことか。情報処理の対象とは、たとえば視覚情報や聴覚情報のことです。かつて写真や音楽はアナログ形式で記録されていましたが、いまや画像データや音声データとしてデジタル化されています。さらには空間全体をデジタル化し、触覚などもデジタル化するのがＶＲです。

また、「コミュニケーションのデジタル化」は、手紙などコミュニケーションの媒体がメールやＳＮＳのような形でデジタル化されることをいいます。取引も広い意味でコミュ

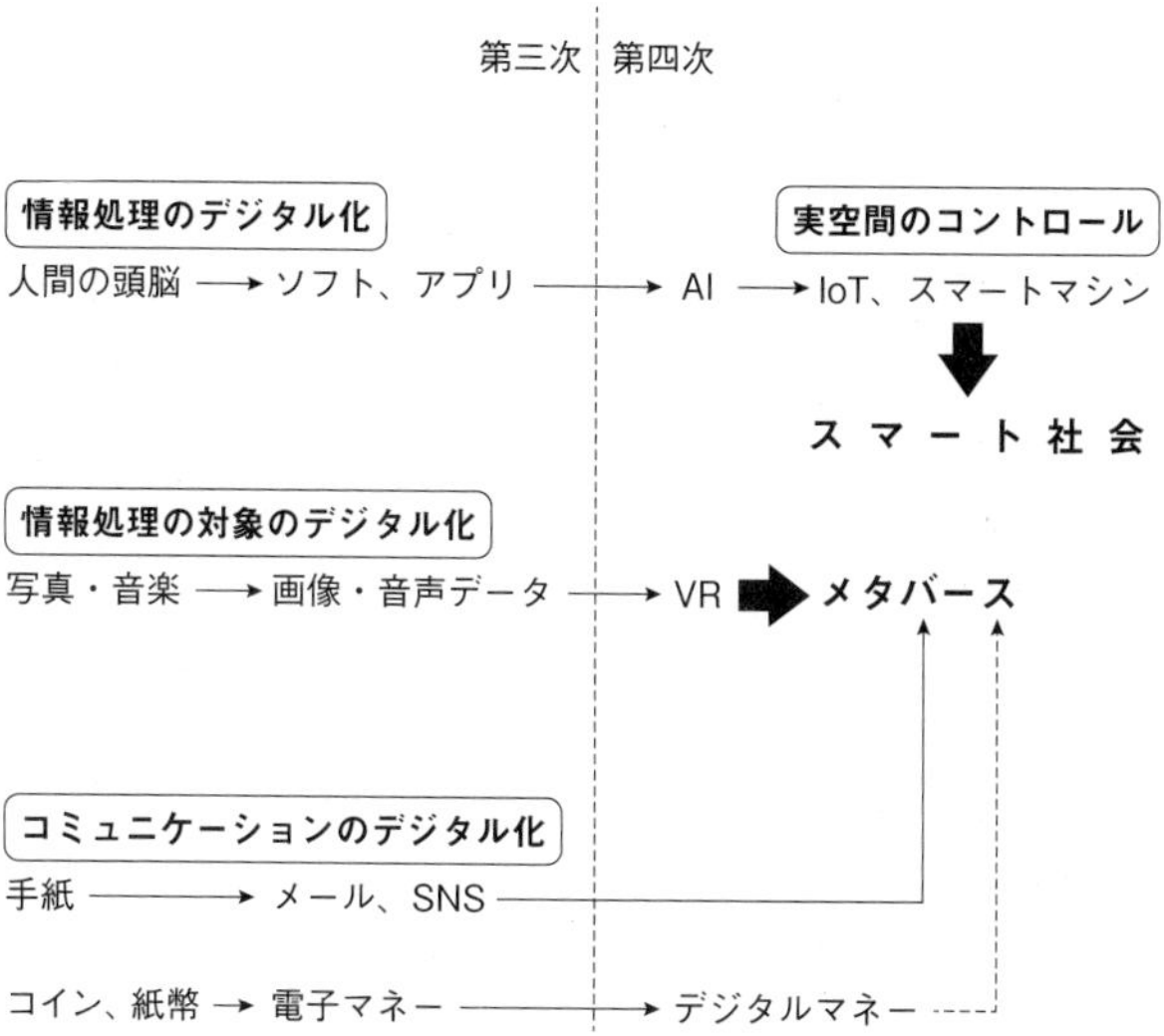

図7　情報革命が引き起こすデジタル化

ニケーションであり、お金はその媒体の役割を果たしています。そのお金も、コインや紙幣から電子マネーになり、仮想通貨やデジタルマネーになろうとしています。

そしてこれら「情報処理の対象のデジタル化」と「コミュニケーションのデジタル化」は、いずれもメタバースへと集約されていきます。すると、これからの私たちには、実空間をデジタル技術によってコントロールし、住みよい社会にしていくスマート社会の方向と、実空間を捨ててメタバースの世界に移行し、そちらのリアリティを高めていく方向の二つがあることになります。

　これからの社会は、スマート社会とメタバースに分岐し、両者が双対となって進んでいくというわけです。標語的に言えば、「リアル空間のデジタル化」がスマート社会であり、「デジタル空間のリアル化」がメタバースです。いずれの路線に重点を置くべきかというテーマが、今後大いに議論されることになるでしょう。

メタバース化を推し進めるべきなのか

　我々がスマート社会ではなくメタバースの方に舵を切った場合のメリットには、実空間での製造や移動が少なくなるので、二酸化炭素（CO_2）排出量が減らせるという点があります。

　工業革命の汎用目的技術であった蒸気機関や内燃機関は、「交通革命」をも推し進めました。蒸気機関を鉄道に使えば蒸気機関車になるし、船に使えば蒸気船になります。内燃機関を応用すれば、自動車やジェット機を作ることもできます。

　工業革命とは異なって情報革命は移動を不要にします。それは例えば、人と会って話す代わりにメールで済ませるとかＺｏｏｍで済ませるといったことで、その先にあるのはメタバースです。その意味では情報革命は「反交通革命」でもあるわけです。

メタバース内で働いたり遊んだりするので電車や車に乗る必要がない。そういう反交通革命によって、CO_2のみならず資源の消費も減らしていけるでしょう。

一生活者の立場からすれば、メタバースはお金がなくても楽しめる空間として魅力があるかもしれません。六畳一間であっても、ひとたびＨＭＤをつければ、もうそこは豪邸です。実空間には、食べて寝るためだけの最低限のスペースがあればいい。

以前に半ば冗談で、政府が最低限の生活保障のためにお金を支給する「ベーシックインカム[9]」という社会保障制度になぞらえて「ベーシックＶＲ」と言ったことがあります。国民全員にＶＲデバイスと最低限のスペースを提供するというもので、そうすれば、貧しくても楽しい暮らしが実現されるかもしれません。

メタバースが普及した未来では、貧しいメタバース利用者専用のアパートが建設される。地方の空き家を潰してアパートにし、個室としてカプセルホテルのように食べて寝るだけのスペースがあてがわれて、シャワーや風呂などは共有にする。そこで、ＶＲデバイスを装着して、たまには仕事もするかもしれないが、基本的には遊んで毎日を過ごす。

なんともディストピア感がただようので、私としては本気で提案するつもりにはなれません。ただ、もう現実世界は捨ててメタバースの世界へ移住したいと言っている人は少なくありません。

cluster を作った加藤直人さんは、『メタバース　さよならアトムの時代』（集英社）というタイトルの本を書いています。「さよならアトムの時代」とは「現実世界を捨てましょう」という意味に解釈できます。加藤さんは、ビットがアトムをコントロールするスマート社会よりもメタバースを望ましく思っていると言えるでしょう。

ある教え子は「メタバースが完全に理想どおりになったら、僕はもう現実世界を捨てます」と言い切った。リアルな社会は人とのいざこざが面倒くさい。自分は人とコミュニケーションをとらないようなメタバース、つまり「ソロバース」でずっと遊んでいたい、と言うのです。

それも、金輪際こちらに戻ってくるつもりはないので、おむつを装着し尿道カテーテルと点滴をぶっ刺してあちらへ赴くという気合いの入りようです。そこまでではないにしても、メタバースに耽溺《たんでき》する人が増えてくれば、批判も高まってくるでしょうし、既に批判は寄せられています。

メタバースはディストピアの悪夢か

前章で述べたように、AR（拡張現実）の会社で有名な、ナイアンティック社のジョン・ハンケCEOは、「メタバースはディストピアの悪夢」と否定的です。ARは、スマートグラスなどをかけて実空間に情報を付加するので現実を豊かにするのに対して、メタバースは現実から人々を逃避させてしまうというわけです。

ハンケさんが提唱するARによる現実世界の充実化は、本章の整理でいえば、スマート社会路線になります。ナイアンティック社が開発を手掛けたポケモンGOは、人々を外出させて互いに出会わせ、地域コミュニティを活性化するようなゲームだという。デジタル技術を使って現実の社会を豊かにするソサエティ5・0という理念のかっこうの事例と言えそうです。

日本では社会学者の宮台真司さんが、メタバースによって身体性が失われることに警鐘を鳴らしています。実空間を「ユニバース」と呼んで「メタバース」に対置させ、人々がユニバースを捨て去ることの危険性を説いているのです。

人々がそうやって現実に対する興味を失えば、為政者が自分達の好き勝手に政治を行うようなことが起きかねない。そして、政治に対する興味を失わせるために、メタバースを推進する輩さえ現れる。

しかし、もし身体性の重要性に気づいていれば、メタバースに取り込まれるようなことは防げる。メタバースは、現実の性愛や触れ合いを完全には再現できず、あくまでもまがいものでしかない。そんな考えに基づいてユニバースに留まる人間を増やすべきだと主張しています。

また、子供の時に自然の中で泥だらけになって仲間と遊んだ経験が、仲間意識や他人とのきずなを強める。そういう経験の欠如が、自分の損得でしか動けない「損得マシーン」や法律を遵守するために仲間を平気で裏切る「法の奴隷」のような人間を生み出すとしています。

宮台さんは、そういう人間をはっきり「クズ」と糾弾する。今の日本人は、社会はこうあるべきではといった公共性のある議論をするよりも、自分はどうやったらいい会社に勤められるかとか、お金が稼げるかといったしょうもない悩みを抱えているだけの自分中心のクズばかりで、日本社会はクズ化しておりメタバースはクズ化を加速させるとも指摘しています。社会のメタバース化によって身体性を失うことでますますメタバースに対する違和感が失われるので、この悪循環は放っておいたら止まることがない。

そもそも、日本人がクズ化したのは、昔ながらの村落共同体が崩れてきたからだ。一緒に寄り添って住むことが、仲間意識やきずなを形成してきた。だから、都市化とともに自分の損得にしか興味のない人間が増えるのは当たり前というわけです。

メタバース化は自由への道

以上は宮台さんの主張でここからは私の持論ですが、明治維新後の「ナショナリズム」（国家主義）が、村落共同体の代替的機能を部分的に果たしており、「仲間のため」が「お国のため」にとって代わりました。戦後、ナショナリズムの代替を果たしたのは、「会社のため」という会社主義であり、今や会社主義も失われて、ほとんど家族愛くらいしか残っておらず、それすらも危ぶまれている現状があります。

ただ私自身は、そもそも村落共同体をそんなご立派なものだとは思っていません。「村八分」という言葉が示すように、村民のきずなは排斥的な攻撃性と表裏一体になっています。

前からそのように考えていましたが、コロナ危機下の日本において「村で最初にコロナにかかり村にいられなくなった」とか「コロナ患者の家に石が投げ込まれた」といった野蛮な話をいくつも耳にして、そうした認識の正しさを改めて確信しました。

村落共同体の仲間意識やきずなは村の掟によってこそ高められるものであって、「コロナにかかってはいけない」といった掟を破った者はスケープゴート（いけにえ）としてむしろ攻撃の対象になる。だから、そうした仲間意識やきずなというものは儚《はかな》いもの、頼りないものであって、アガペー（博愛）のような分け隔てない絶対的な愛とはほど遠いと言わざるを得ません。

日本では都市化の進展は、煩《わずら》わしい掟や人付き合いからの解放だけでなく、排斥的な攻撃からの解放をも意味しています。要するに、都市化によってきずなを失った代わりに、誰にも生活を邪魔されないような自由を手に入れたというわけです。

この都市化の延長上にメタバースがあります。仮想空間で暮らしＤＡＯの仕事に従事したら、人付き合いの煩わしさやパワハラやセクハラ、その他暴力的な言動から逃れることがより簡単になるでしょう。

メタバースでは痴漢やストーキングもあり得ますが、ソロバースではそういった心配もありません。私達は絶対的な自由と安全を（そして孤独を）手に入れることができるかもしれないのです。

それにメタバースは、現実世界で人とのコミュニケーションをうまくとることができない人達やＡＬＳ（筋萎縮性側索硬化症）などの病気を患って身体を動かすことのできない人達が、活動し得る場にもなり得ます。

メタバース内で「バーチャルマーケット」[10]を主催した「動く城のフィオ」さんは、うつ病と対人恐怖症を患って現実世界では人と会うのが難しくなったが、仮想空間では人とコミュニケーションしたり仕事をしたりできるようになったと言います。

さらに、ねむさんが本で詳しく書いているように、メタバース内では、技術的には感じないはずの風のそよぐ感覚や自分が落下する感覚を錯覚する「ファントムセンス（ＶＲ感覚）」が度々発生します。このような錯覚もメタバースを体験した人にしか知り得ない「リアル」であって、新たな身体性の獲得とすら言えると思います。

太った豚よりも痩せたソクラテスを目指すべきなのか

だからと言って、宮台さんの指摘する実空間で培われる身体性の喪失を軽く見るべきではないでしょう。近代における都市化の流れは、自然からの逃避をも意味しています。多くの人々は自然に憧れているようでいて、実際には砂埃や昆虫、ヘビや熊などを嫌悪している。自然とは「遠きにありて思ふもの」なのです。

都市部に住めば、人間関係の煩わしさだけでなく、グロテスクな自然からも逃れることができる。ところが、人間の身体も自然の一部であって、都会にあってはそれだけがほとんど唯一のグロい自然であり嫌悪の対象になり得る。満員電車に乗れば、他人の身体に直面せざるを得ないし、自らの身体を捨て去ることもできない。

動物園には当然のことながら動物の臭いが立ち込めているけれど、人間も動物なのだから臭くて当たり前。しかし現代の日本人は、日に幾度もシャワーを浴びたり、執拗《しつよう》にデオドラントを使ったりして、動物の痕跡たる自らの臭いを消し去るのに必死です。

あるいはまた、公衆トイレで用を足す時に、必ず尻を便座から浮かせて座ると言っている大変ご苦労な教え子もいました。他人の動物的な痕跡には微塵《みじん》も触れたくないという意気込みなのです。

他人の身体に直面する営みである性愛もまた、現代では忌避されています。男女ともに、恋人のいない若者の割合は２０００年くらいから激増しており、２０２２年版の「男女共同参画白書」によれば、20代の独身男性の4割がデートをしたことがないという。

社会学者の古市憲寿さんがテレビ番組で、キスは唾液の交換なので気持ち悪いと発言して話題になりましたが、少なからぬ若者の偽らざる心境と言えるでしょう。そうすると、いっそ、恋愛はメタバース内で営めばいいという話になってくる。その方が面倒がないし、臭いもなければ暴力の危険もなくて、無味無臭で安心安全な営みということになります。

それに、前章でも述べたように、ツイッターで全方位に喧嘩を売るスタイルで狂犬みたいに辺りかまわず噛《か》みついて自滅するような人達は、メタバース内でバ美肉化して互いに抱き締め合った方が、本人のためにも周りのためにもいいように思われます。だから、恋愛のメタバース化は今後も留まることがないでしょう。宮台さんは、そこに倫理的に問題を見出していますが、本人達が楽しければ別に構わないじゃないかという主張もあり得ます。

宮台さんの娘さんは、映画『マトリックス』を見た後に、仮想空間から抜け出た主人公ネオに対し「馬鹿みたい。なんで現実にもどらなきゃいけないの？　バーチャルの方が幸せならそれでいいじゃん[11]」と言ったそうです。

私は、２０１８年に出版した『ＡＩ時代の新・ベーシックインカム論』（光文社新書）という本の中でこう書いています。

> 主人公ネオは、機械の支配から逃れ、より人間らしく生きるために、ＶＲの世界を抜

け出て機械と戦った。しかし、私たちは「マトリックス」のネオになれるのだろうか？安楽なＶＲの世界ではなく、苦悩と戦いに満ちた現実世界で生きるべきなのか。不幸になってまで人間としての誇りを追求すべきなのか。太った豚よりも痩せたソクラテスを目指すべきなのか。今の私にははっきりとした答えはない。

私達はおそらく「メタバース内で恋愛して本人が幸せなら構わないじゃないか」といった主張に対し、明確な倫理上の反論を持ち出すことはできません。だからこそ、宮台さんもそういった身体性を忌避する輩を「クズ」と言って侮辱するしかない。「まがい物の恋愛だ」とか「倫理的に間違っている」と糾弾しても、「それってあなたの感想ですよね」と返されるのがオチなのです。

だからあくまでも個人の感想ということになりますが、私自身ユニバースへの未練たっぷりなのです。「ぼくのなつやすみ」というプレイステーションのゲームソフトが流行った折に、私は「おまえらの夏休みはそれでええんかい？　ゲームなんかやってないで田舎のおばあちゃんのおうちに連れて行ってもらえよ」などと違和感を抱きました。

だから大人はともかくせめて子供だけでも、現実世界でカブトムシを捕りに森へ入り込んだり、海で泳いだり潮干狩りをしたり、キャンプファイヤーを楽しんだりするような社会であって欲しいと願っている。その点では、宮台さんに同調しています。

有事のときをどう考えるか

　メタバースへの耽溺について、倫理的にいけないかどうかという問題に答えは見出しがたいのですが、功利主義的に（世の中全体の利益を考えて）まずい点ならいくつか挙げられます。例えば、バーチャルの世界を楽しんでいるときに震災が起きれば、一気に現実の世界に呼び戻されてしまいます。

　永遠に、そして確実に、アトムの世界とおさらばできるわけではないのです。なので、避難訓練をしたり、非常食を備蓄したりするなどして、リアルで起きる災害のような有事に備える必要があります。

　煩わしいリアルの問題を完全に忘却することはできない。アニメ映画『天空の城ラピュタ』でヒロインのシータが「土から離れては生きられないのよ」と言ったように、我々はリアルな土地から浮遊した世界で生き続けるわけにはいかないのです。

　戦争については相反する可能性を考えることができます。一つは災害同様、十分に戦争に備えなくなるという危惧です。たとえば日本国民全員がメタバースに浸っていて実空間に戻ってこない場合、他国が「日本はメタバースばかりやっているから、占領してしまおうか」と考えるかもしれません。

あるいはメタバースの影響で、多くの国民が現実の政治に興味がなくなる可能性も出てくるわけです。これは先ほど述べた、為政者に好き勝手にされてしまうといった話につながってきます。

もう一つはメタバースが戦争や暴力を減らす効果です。今回（２０２２年２月）、ロシアがウクライナに侵攻したことを知って、なんて古くさいことをやっているのかという思いがよぎりました。

『攻殻機動隊』[12]という漫画のラストで、ヒロイン草薙素子《くさなぎもとこ》が「ネットは広大だわ」とつぶやいたように、実際ネットの世界に限りはなく、メタバースにはいくらでも空間や土地をつくることが可能です。

にもかかわらず、ロシアは仮想空間を探求するのではなく、リアルな陸地にこだわっている。しかしメタバースが普及すれば、より多くの人がリアルな陸地や領土にこだわらないようになるかもしれません。

おまけに、メタバースでは、多種多様な世界観を具現化できて、常に戦争が繰り広げられているワールドを作ることもできるわけです。ならば、戦争が好きな人は実空間ではなくてメタバース内で戦争をすればいいということになる。暴力的なゲームがむしろ現実の暴力を減らすという研究結果があるので、戦争系メタバースにも、現実の戦争を抑止する効果が見込めます。

　そういうわけで、スマート社会とメタバースのどちらに比重を置くべきかというのは難しい問題です。私はさしあたって玉虫色の結論を導いています。すなわち、一部にスマート社会１００％の人がいたり、メタバース１００％の人がいたりする一方で、大半の人々はスマート社会とメタバースのいいとこどりをして、両方の社会で生きていく。そういう状態が一番理想的な配分に思えるのです。ちょうど今、多くの会社員が会議を対面で行ったりオンラインで行ったりしているような按配です。

　しかし人類は、自らが自然たる動物であることを嫌悪しており、無味無臭の抽象的な存在になりたがっているようにも見えます。だから、私が理想と思うような配分には留まらず、メタバース化は際限なく進み、しまいには身体は捨て去られるかもしれません。その点については6章で詳しく論じます。

注

（1）ＤＸ（Digital Transformation）　企業がビッグデータやＡＩ、ＩｏＴをはじめとするデジタル技術を活用して、業務プロセスの効率化のみならず、ビジネスモデルや企業風土の変革なども実現すること。２００４年にスウェーデンのエリック・ストルターマン教授（情報学）によって提唱された概念。

（2）ハイプ・サイクル（hype cycle）　テクノロジーとアプリケーションの成熟度と採用状況、およびテクノロジーとアプリケーションが実際のビジネス課題の解決や新たな機会の開拓にどの程度関連する可能性があるかを図示したものです。１：黎明期、２：「過度な期待」のピーク期、３：幻滅期、４：啓発期、５：生産性の安定期の5段階によって構成される。出典：ガートナーリサーチ・メソドロジ　ハイプ・サイクル。

（3）汎用ＡＩ（Artificial General Intelligence; ＡＧＩ）　人間のように学習して言葉や物ごとを理解、習得する汎用的な能力を持つという未来の人工知能。

（4）シンギュラリティ（singularity）　「技術的特異点」のこと。アメリカの発明家で人工知能研究家のレイ・カーツワイルが示した未来予測の概念。

（5）Stable Diffusion（ステーブルディフュージョン）　２０２２年8月に無償公開された描画ＡＩ。ユーザーがテキストで指定したキーワードに応じて画像が自動生成される。ディープフェイクの作成に使用できるとしてＡＩ倫理の観点からの懸念も示されている。

（6）ミッドジャーニー（Midjourney）　Stable Diffusion と同様にテキストの説明文から画像生成する独自の人工プログラム。２０２２年7月にオープンベータ版が発表された。

（7）敵対的生成ネットワーク（Generative Adversarial Networks; ＧＡＮ）　２０１４年に発表された教師なし学習で使用される人工知能アルゴリズムの一種。生成ネットワーク（generator）と識別ネットワーク（discriminator）の二つのネットワークから構成される。この二つのネットワークが相反した目的のもとに学習するために敵対的と称される。

（8）ＩｏＴ（Internet of Things）　あらゆるモノをインターネットに接続する技術のこと。

（9）ベーシックインカム（ＢＩ）　所得制限せずに、すべての人たちに一定額の現金を給付するという考え。

（10）バーチャルマーケット　２０１８年に「動く城のフィオ」によって企画主催されたバーチャル空間上でのマーケットイベント。アバターなどの３Ｄアイテムや洋服や飲食物など様々なリアル商品を売り買いできる。

（11）宮台真司・藤井聡『神なき時代の日本蘇生プラン　「クズになってしまわない」ための処方箋』ビジネス社。

（12）『攻殻機動隊』　士郎正宗による漫画作品。21世紀、第3次核大戦と第4次非核大戦を経て世界が「地球統一ブロック」となり、電脳化技術やサイボーグ技術などが浸透した未来社会が舞台。押井守監督のアニメ映画版が世界的にヒット、神山健治監督によるＴＶアニメ版やネットフリックス版など多岐にわたって展開している。

3章　純粋デジタル経済圏の誕生

純粋機械化経済

前章でＡＩやロボットによる生産活動の自動化について論じましたが、そのような自動化の果てにやってくる経済を私は「純粋機械化経済」と呼んでいます。図２のように、そこでは直接モノを作るのは人間の労働者ではなく、ＡＩやロボットを含む機械です。

では今の経済は何かと言うと「機械化経済」です。図１のように機械化経済では、生産活動に必要な主なインプットは機械と労働であり、その両者が組み合わさってモノを製造していることになります。

近代以前の経済は農業中心で、生産活動に必要な生産要素は主に土地と労働でした。それが、産業革命以降は工業中心の経済に変わっていきます。

農業の場合、土地は広ければ広いほどいいし、畑を耕す人も多ければ多いほどいい。それに対し、工業の場合、土地は必要ではあるものの、広ければ広いほど大量のモノをつくれるわけではありません。たとえば北海道は広いけれど、工業に有利なわけではなく、有利なのは農業です。

工業生産で重要なのは土地の広さよりも工場に置かれた機械の台数です。このように、

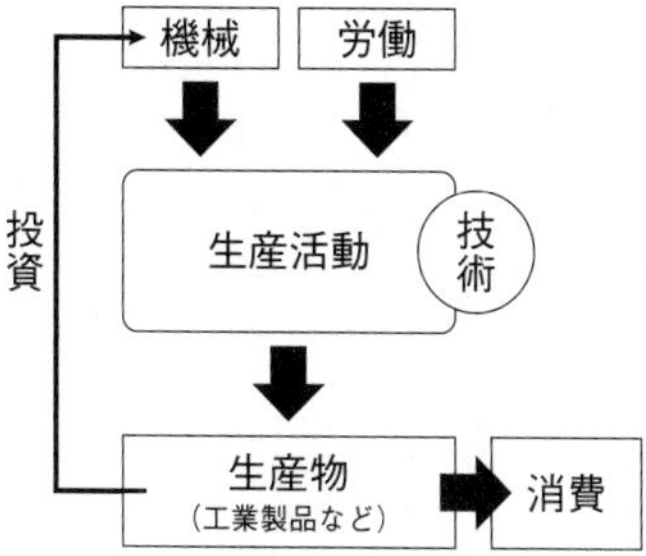

図1　機械化経済の構造

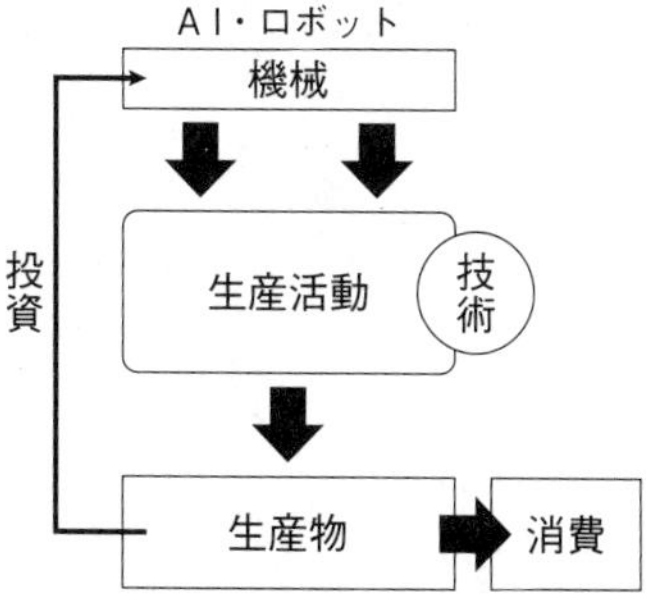

図2　純粋機械化経済の構造1

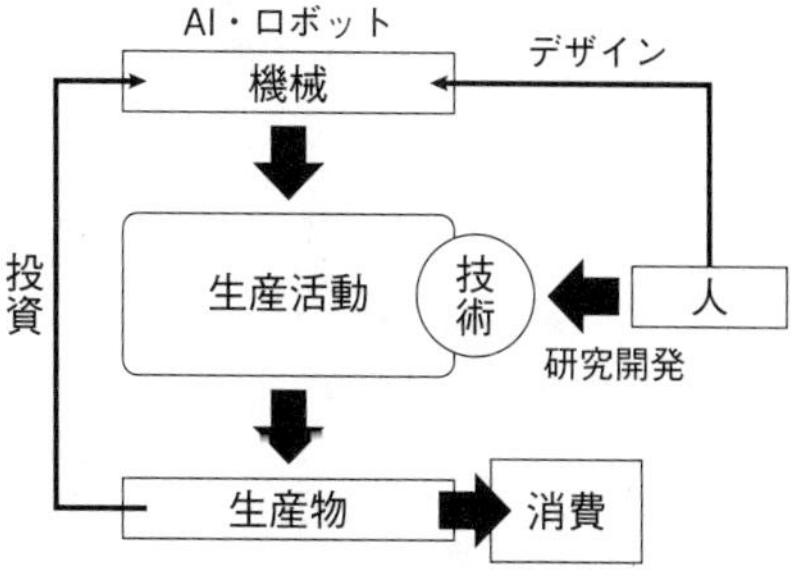

図3　純粋機械化経済の構造2

機械が生産量を増やす主要因になるような経済が「機械化経済」です。そこでは、人間の労働者も機械を操作するために必要で、多ければ多いほどいい。このような機械化経済こそが今の資本主義です。

未来に訪れる「純粋機械化経済」では、もはや機械を操作する人間の労働者が必要なくなります。ＡＩが人間に代わって機械を操作するだけでなく、工場全体をコントロールする「スマートファクトリー」がこれまでの工場にとって代わります。

機械化経済における機械と労働という二つの生産要素から労働がなくなり、ＡＩ、ロボットを含む機械だけでおよそ生産活動が行えるようになる（図2）。そうした純粋機械化経済が、２０４５年から60年くらいに実現するだろうと私は予測しています。

しかし純粋機械化経済の時代が到来しても、人間がまったく必要なくなるわけではありません。新しい技術を研究開発したり、新しいビジネスや商品を世に送り出したりするような「クリエイティビティ系」の仕事は残るでしょう。したがって、図2を図3のように書き換えることができます。

ほかにも、店舗や工場、人材などの管理を行う「マネジメント系」の仕事。介護や看護、ホテルマン、インストラクターなど、ＡＩやロボットには難しい、かゆいところに手が届くようなサービスを提供する「ホスピタリティ系」の仕事。そういうものも残っていくでしょう。

以上の「Ｃ：クリエイティビティ系」「Ｍ：マネジメント系」「Ｈ：ホスピタリティ系」の仕事を私はまとめて、「ＣＭＨ」と呼んでいます。

ＣＭＨのなかでも、純粋機械化経済の中心を担うのはクリエイティビティ系です。前章で紹介した論文「雇用の未来」の著者の一人であるマイケル・Ａ・オズボーンさんも、ＡＩが高度に発達した未来には「クリエイティブ・エコノミー」が到来すると予想しています。

同時に忘れてならないのは資本家という存在です。純粋機械化経済では、ロボットなどの機械を設置するために、機械化経済以上に多くの資金を必要とします。そこで、資金を提供する資本家がより大きな力を持つことになるわけです。

フランスの経済学者トマ・ピケティさんが『21世紀の資本』（みすず書房）で、資本家の取り分である「資本分配率」が上昇していると指摘しました。その延長上には、資本分配率が１００％に限りなく近い純粋機械化経済があります。といっても、ＣＭＨの仕事が残るので、実際には１００％にはなりません。

総じて言うと、純粋機械化経済はクリエイターと資本家が力を持つような経済というこ

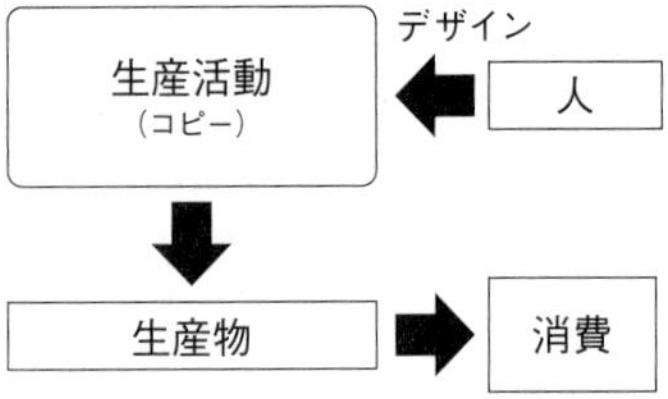

図4　純粋デジタル経済の構造

とになります。

純粋デジタル経済

純粋機械化経済は、基本的には実空間の経済です。それでは、メタバース内の経済はどうかというと、実空間とは全く異なるはずで、そこで生まれる経済を「純粋デジタル経済」と呼ぶことにしましょう。これは、「デジタルな財・サービスのみが供給される経済」と定義できます。

なぜメタバース内の経済が「純粋機械化経済」ではないかというと、デザインしたら生産活動は終わりで、物質的なモノを製造する必要がないからです。図4のようにデジタルな洋服をデザインしたら、あとはいくらでもコピーできます。だから、洋服を製造するための労働者も機械設備も不要です。デジタルな家具にしても車にしても同じことです。

前章ではスマート社会とメタバースが双対となって進行することを説明しました。それに対応して、経済でも「純粋機械化経済」と「純粋デジタル経済」が並行して進展していくでしょう。ここで、純粋デジタル経済の特徴を既存の経済学の観点から三つ挙げたいと思います。

①資本財ゼロ

一つ目の特徴は、「資本財」がほぼゼロだということです。資本財というのは、生産活動に必要な財ということです。典型的には機械設備が資本財ですが、工場やオフィス、会社で使っているコンピュータやソフトウェアも資本財にあたります。要するに、企業が購入する商品はおよそ資本財です。

メタバース内の経済では、この資本財をほとんど必要としません。アバターやアバターが着る洋服、ワールドを作るのに必要なソフトウェアは資本財ですが、莫大なコストがかかるものではなく、個人で買えるレベルです。例えば、ワールドを作るのによく使われるエピックゲームズ社の「アンリアルエンジン」というソフトウェアは無料です。

ただし、資本財がほとんど必要ない経済だから資本主義ではないかというと、そうとも言い切れません。メタバース内であっても、資本財以外に資金が必要な局面があるからです。

例えばメタバース内でプロジェクトを進行させる場合、ある程度の資金は必要です。ライブのイベントを企画したら、出演者には報酬を払わなければいけない。そのライブ会場を3Dグラフィックスでつくるには、デザイナーに報酬を支払わねばなりません。

メタバース内で会社を運営するなら、従業員に支払う給与が発生します。実空間の生産活動とは異なって資本財がほとんど必要なくなっても、運営費や人件費などがかかるので、結局資金の必要性は残るのです。

資金調達の方法として、現在は株式会社を設立するのが主流ですが、メタバースに向いているかもしれない組織形態としてDAOが現在注目を浴びています。この点については5章でくわしく解説します。

いずれにしても、活動資金は必要なわけですが、物理的なロボットや機械設備といった資本財を必要としない分、資本家は大きな力を持ちません。純粋機械化経済と純粋デジタル経済では、資本家のもつ力の大きさがまったく異なるのです。

前章で、スマート社会とメタバースに分岐するという話をしましたが、どちらにより傾くかによって、純粋機械化経済と純粋デジタル経済の配分が変わり、未来において資本家が力を持つようになるのか否かも異なってくるのです。

②限界費用ゼロ

二つ目に限界費用ゼロということが挙げられます。限界費用とは生産量を増やす際に追加的にかかる費用のことです。限界は、経済学では追加的という意味で用います。たとえば自動車を1台作っていて、2台目を作ろうとする時、材料費や働く人々の賃金など追加的にコストがかかります。これが限界費用です。

経済学が通常扱う経済は、「限界費用逓増《ていぞう》」といって、なにか追加的にモノをつくるたびに費用がより多くかかっていきます。たとえば1台目の自動車は20万円のコストで作れたのに、2台目は25万円、3台目は30万円というふうに、コストが徐々に高くなっていってしまう。

それをグラフで表すと、図5のように総費用曲線はどんどん勾配が急になっていきます。このグラフは、横軸に生産量（自動車の生産台数）、縦軸に総費用をとっています。総費用のうち、生産量に関わりなくかかる費用を「固定費用」、生産量に応じてかかる費用を「可変費用」と呼びます。

単純化して、工場にかかる費用を固定費用、自動車の生産台数に応じて増大する材料費や働く人々の賃金の合計を可変費用としておきましょう。

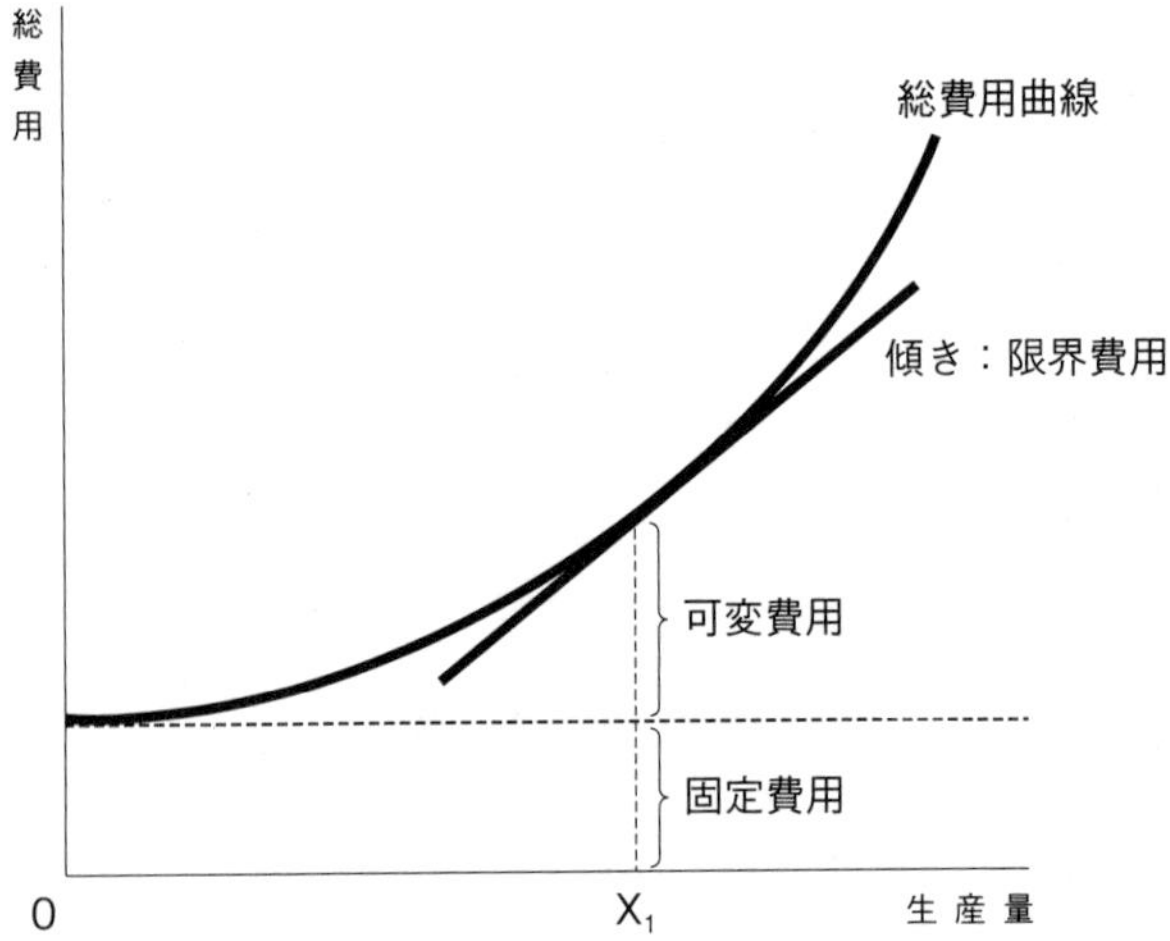

図5　通常の経済における限界費用

図5のように、限界費用は、総費用曲線の接線の傾きによって表されます。

一方、図6のように原点から総費用曲線上の点に伸ばした線の傾きが「平均費用」です。平均費用は、自動車一台当たりにかかる費用のことです。この費用には可変費用だけでなく固定費用も含まれます。つまり、総費用を自動車の台数で割ったものが平均費用になります。

傾きが急勾配の方が、平均費用が大きいことに注意してください。生産量がX_1の時より、生産量の多いX_2の時の方が平均費用が大きくなります。つまり、自動車一台当たりの費用が高くなって、売るのが難しくなります。

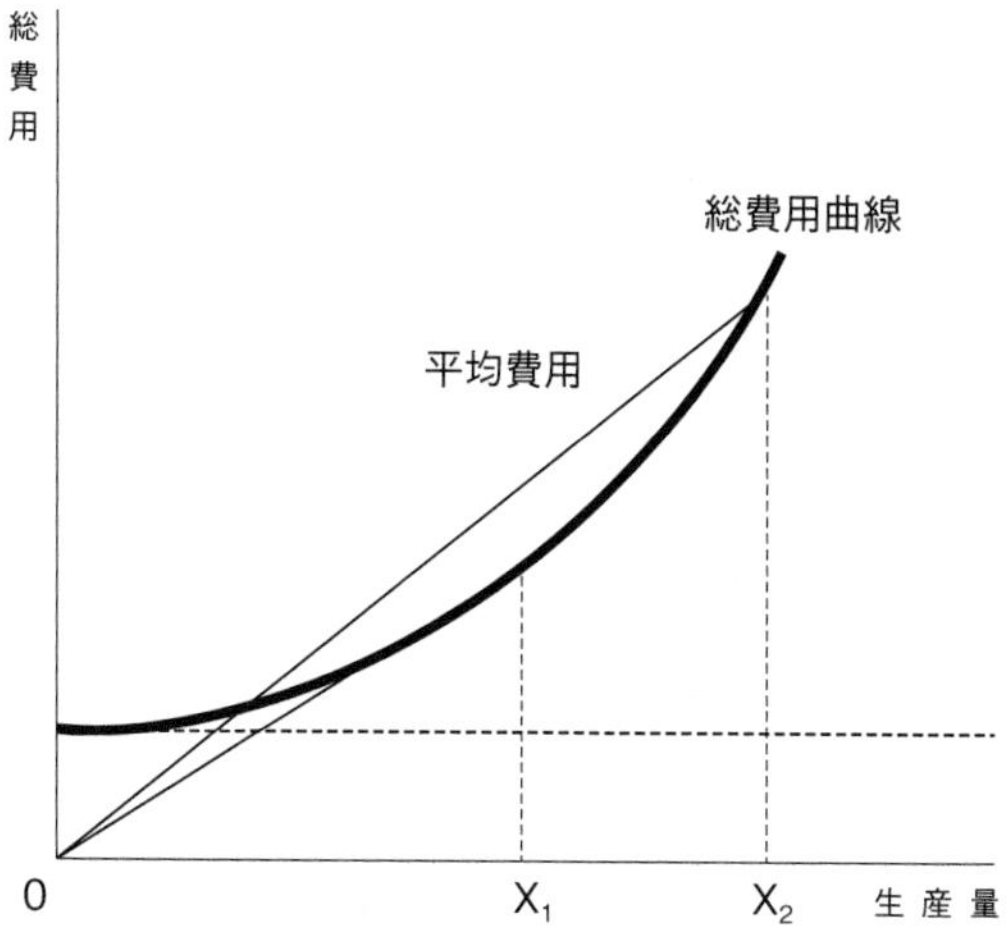

図6　通常の経済における平均費用

　こうした状態では、規模の大きい企業ほど低コストで生産できるという「規模の経済」が働きません[1]。だから、一社で市場を支配する「独占」や数社で市場を支配する「寡占」は起きないことになります。逆に、小規模の企業が乱立して競争が生じます。これが経済学でいう「完全競争市場」です。

　一方、メタバース内の経済では、限界費用がゼロに近くなります。理由は簡単で、アバターやデジタルな洋服を一回デザインしてつくってしまったら、あとはいくらでもただでコピーできるからです。限界費用ゼロのケースでは、図7のように総費用曲線は水平になります。

　この場合、生産量が増えれば増えるほど、

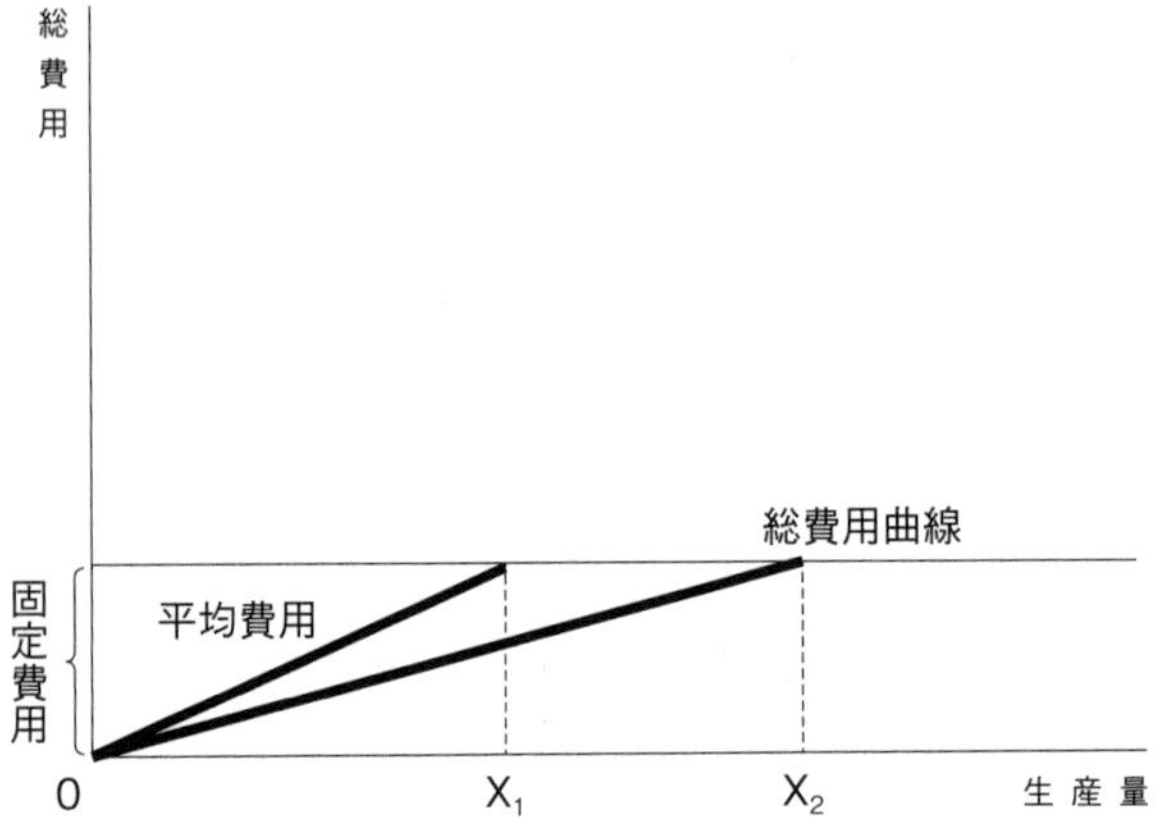

図7　限界費用ゼロ

平均費用は必ず下がっていきます。この図でも、平均費用は原点と総費用曲線上の点を結んだ線の傾きで表されます。生産量がX_1の時よりも生産量の多いX_2の時の方が平均費用が少なくなることが分かります。そうすると、大きい会社ほど商品一つ当たりの価格が低くなります。したがって、限界費用ゼロ産業では規模の経済が働くので、独占が生じる傾向があります。

　情報産業は基本的には限界費用ゼロ産業であり、実際、ＯＳや検索エンジンでは、独占や寡占が生じています。検索エンジンはグーグルのほぼ独占状態であり、パソコンのＯＳはマイクロソフトとアップルによって寡占されています。検索エンジンは利用者が一人増えてもほとんど追加的な費用はかからず、OSもデジタルコンテンツ同様にただでコピーできるので、これらは限界費用ゼロ産業に含まれます。

ところが、メタバース内の経済は、こうしたプラットフォーム産業とは異なって独占状態にはなりません。なぜなら、メタバース内のアバターや洋服は、限界費用ゼロではあるけれども、「独占的競争」状態に置かれているからです。

③独占的競争

メタバース内の経済に関する三つ目の特徴が、この独占的競争です。これはただの独占とは意味がかなり異なります。独占的競争とは、それぞれの会社や事業者が差別化された財を提供していて、その財同士にある程度の代替性があるような状態のことです。「差別化された財」というと難しく聞こえるかもしれませんが、要するに財が個性を持っているということです。

例えば、宇多田ヒカルさんの曲と椎名林檎さんの曲は、それぞれ個性を有していて完全に代替できるものではありません。このように、音楽業界では、たくさんのミュージシャンが差別化された曲を提供しています。したがって、一人のミュージシャンが音楽業界を独占することはあり得ません。たくさんのミュージシャンがそれぞれ曲を提供しています。映画でも漫画でも同じことです。このようにコンテンツがそれぞれ他とは違った個性をもって競争しているのが独占的競争です。

同様に、メタバース内のコンテンツも独占的競争状態にあります。先述したようにアバターや洋服は差別化された財であって、独占や寡占は起きないからです。

では、メタバースのプラットフォーム自体はどうでしょうか。メタバースのプラットフォームも限界費用はゼロに近いのです。

ただし、この場合の限界費用とは、コンテンツとは違って、メタバース・プラットフォームを丸ごとコピーして増やす際の費用ということではありません。そうではなく、検索エンジン同様に、利用者が一人追加的に増えても、ほとんどコストが増えないという意味で限界費用がゼロに近くなるわけです。

ただし、メタバースは検索エンジンやOSと違って個性を必要とします。検索エンジンやOSには尖った個性は必要ありません。だから、例えば検索エンジンだったら、優れた機能のサービスを提供しているグーグルが一人勝ちしています。

それに対して、メタバースのプラットフォームは各社のサービス毎に特徴や雰囲気が異なります。1章で述べたように、メタ社のホライズン・ワールドだったら、ひと昔前の教育番組のようなグラフィックスで、下半身のないアバターという特徴があります。

そのため、独占的競争が生じており、どこか一社（あるいは数社）だけが勝つという状態にはなりにくいと考えられます。とはいえ、一社だけの独占状態も想像できないわけではありません。プラットフォームには、「ネットワーク外部性」といって利用者が多ければ多いほど、サービスの利便性が増していくという傾向があって、それが独占・寡占化を助長するからです。ネットワーク外部性については、4章でまた論じます。

ちなみに、メタバース内のワールドやアバター、洋服などをデザインするためのソフトウェアは独占・寡占化する可能性が高いようです。今でも、ワールド作成に使われるソフトウェアは、エピックゲームズ社の「アンリアルエンジン」とユニティ・テクノロジーズ社の「ユニティ[2]」の二強状態です[3]。

無限性の経済学

右に挙げた「資本財ゼロ」「限界費用ゼロ」「独占的競争」という三つの特徴は、じつはメタバースにかぎらず、音声データや動画、デジタルアートなど、ほとんどあらゆるデジタル財にあてはまるものです。

ではメタバース内の経済ならではの特徴は何でしょうか。それを考える補助線として、「希少性の経済学」と「無限性の経済学」について説明します。

希少性とは数が限られているということで、既存の経済学はこの希少性を基盤に成立しています。希少性がいかに重要であるのかは、経済学の教科書に度々掲載されている「水とダイヤモンドのパラドックス」によって説明されます。「パラドックス」とは、矛盾という意味です。

水は生きるためになくてはならないものですが、安く手に入ります。一方、ダイヤモンドは生きるのに不可欠ではないけれど、高額の値段がつきます。というのも、水は無尽蔵に存在しているのに対して、ダイヤモンドには希少性があるからです。

空気に至っては、なければすぐに死んでしまいますが、完全に無料です。商品は希少であるからこそ価格が付けられて売買されるわけです。だから、希少ではない空気は通常経済学の対象にはなり得ません。

フランスの思想家で小説家のジョルジュ・バタイユは、希少性を基盤に成り立つ通常の経済学を「限定経済学」と呼び、それに対して「普遍経済学」を提唱し、対置させました。

これは、過剰に生産された財をいかに「蕩尽《とうじん》」（消費）するかについて論じるような経済学です。それゆえ、経済学者の佐伯啓思さんは、普遍経済学を「過剰性の経済学」と呼び換えています[4]。

確かに、私たちはしばしば過剰に作り出された商品をいかに消費するかということに頭を悩ませています。例えば、平成の約30年間に続いた経済停滞は、消費需要が不足しているがために景気が良くならず、失業が生じ賃金が増大しないという現象でした（7章で論じます）。

ただし、これは政府による適切な経済政策で解決し得る問題が放置された結果です。だから、供給が需要に対して過剰だったといっても、それは相対的な過剰性に過ぎません。対して、メタバース内の供給は絶対的な過剰性をはらんでいる。というのも、例によってデジタル財はいくらでもコピーが可能だからです。

この絶対的な過剰性を「無限性」と呼んで、これまでの希少性の経済学とは全く異なる「無限性の経済学」という観点から、メタバース内の経済を論じることにしましょう。メタバース内の経済である純粋デジタル経済は、「供給の無限性」の他に「空間の無限性」「移動速度の無限性」という性質を持っています[5]。

①供給の無限性

「供給の無限性」は限界費用ゼロと裏表の関係にあります。いくらでもただでコピーできるということは、無限に複製できるということです。あるアバターの需要が1万であろうが1億であろうが、無限の供給力を使って応じることができます。

それでは空気のようにただになってしまうかというと、そうとは限りません。独占的競争状態にあるデジタルコンテンツは、複製が供給者にのみ可能であれば、一定の価格を設定することによって販売することができます。その場合、需要に応じていくらでも供給できるにしても、空気のようにただで手に入れられるわけではない。だから、空気とは異なって価格を付けて売ることができるのです。

それに対して、誰もが好き勝手に複製できるデジタルコンテンツは、空気のようになってしまいます。ネット上で音楽や漫画が違法にコピーされている現状を思い浮かべてください。こういった海賊版が簡単に手に入り、人々に何の良心もないならば、価格を付けて販売することは不可能になります。

逆に言えば、海賊版と正規版の区別をつけた上で、人々の良心に訴えたり、何らかの形で正規版を手に入れさせるインセンティブを持たせたりできれば、価格を付けて売ることができます。アーティストのようなコンテンツ提供者が、そうした苦悩に満ちた取り組みの中で、わらにもすがる思いで手を伸ばしたのがＮＦＴなのです。

アーティストからＮＦＴ化されたアートを購入する分には、正規版であることが保証されます。加えて、10部とか１００部とか販売数を限定し希少性を保証することによって、高い価格で売ることが可能になります。これは言わば空気をダイヤモンドに変えるからくりです。

ただし、無料で閲覧《えつらん》できるはずのデジタルアートを人はなぜ高額のお金を払って購入するのか、という問題に答えるのは簡単ではありません。これは、最近「推しエコノミー」とか「応援消費」と呼ばれている現象と関係があります。

要するに、好きなアーティストを応援したいとか、その作品とのつながりをみなに知らしめたいという欲求によるものです。その欲求に、転売して儲けたいという投機的な動機が混じってくるので、話がややこしくなっているのです。

②空間の無限性

「空間の無限性」とは、いくらでもただで広大な空間（土地）を設けられるということです。厳密にいえば、コンピュータのスペックの限界はありますが、スペック上の限界はいずれほとんど意識する必要がなくなるでしょう。

原理的には、メタバース内の土地をいくらでも広げることができる。あるいは、一つのワールドのコピーをいくらでも増やせる（インスタンス化するという）。にもかかわらず、メタバースの土地に値段がついていることがあります。たとえば１章で紹介した「ザ・サンドボックス」というメタバースでは、土地が高値で売買されています。

無限に空間をつくれるはずなのに、なぜ土地が高値で売買されているのか。ザ・サンドボックスでは、「ランド」と呼ばれる土地を限定して売り出しているからです。さらにザ・サンドボックスの場合、暗号資産の取引業者であるコインチェックが、メタバース内の土地を買い取って一般ユーザー向けに切り売りしたため価格が高騰しました。１ランドが１５０万円で取引されるケースもあり、これをバブルと指摘する経済学者もいます。

この事例からは、人為的に希少性を設ければ、本来価値がないものでも価値（価格）が生じることがわかります。それは先ほどとりあげたＮＦＴアートやビットコインのような仮想通貨と同様です。

ビットコインは原理的にはいくらでも増やせますが、仕組みとして一生懸命マイニング[6]

しないと増えないことになっている。また、そもそもビットコインの発行数も限定されています。ビットコインも、人為的に希少性を与えることによって価値が生じる仕掛けになっているわけです。空気をダイヤモンドに変える、例のからくりです。

ただ、メタバースのなかで、本当に駅前の一等地のような概念が根付いていくかどうかは微妙です。それは第三番目の「移動速度の無限性」と関わります。

③移動速度の無限性

メタバースでは瞬時にどこへでも移動可能で、自分のお友達の場所にテレポートする機能もあります。ですから、どこかへ出かけるのにも時間を要することがないのです。それを指して「移動速度の無限性」ということにします。

もちろん、リアルな空間により近づけるために、瞬間移動ができないような設計をすることはできるでしょう。しかし、メタバースをリアル空間に近づけることがいいことなのかどうかは議論が分かれるところです。現実に反しても、メタバースならではの利便性や機能を追求したほうがいいと考える人も多いと思います。

たとえばNeosVRというメタバースでは、空間を無重力にする機能があります。それを使うと、アバターがふわふわ空間を浮遊できる。現実には反するけれども、こういう機能はあったほうが楽しいと言えるでしょう。

現状のメタバースでは、瞬時に移動できる機能は制約していないケースのほうが多く、そうなると、駅前の一等地というような概念はなかなか成立しづらくなるでしょう。

以上のように、メタバース内の経済である純粋デジタル経済は、

- 資本財ゼロ
- 限界費用ゼロ
- 独占的競争
- 供給の無限性
- 空間の無限性
- 移動速度の無限性

といった性質を持っています。さらに、メタバース内で流通するお金がどのようなものか

を明らかにすれば、メタバース内の経済の全貌がつかめることになります。そういうわけで、4章ではお金の話をします。

注

（1）正確に言うと生産量がX_1までは、生産量の増大に応じて平均費用は減少するので規模の経済が働く。X_1以降は生産量の増大に応じて平均費用も増大するので規模の経済は働かない。

（2）ユニティ（Unity）　ユニティ・テクノロジーズ社が開発・販売しているゲームエンジン。主にC#を用いたプログラミングでコンテンツの開発が可能。

（3）最近は、ワールド作成にブレンダー・ファウンデーションという非営利組織が提供するソフトウェア「ブレンダー」も使われるようになってきている。

（4）佐伯啓思『経済学の犯罪　稀少性の経済から過剰性の経済へ』講談社現代新書。

（5）ねむさんは『メタバース進化論』で、本書でいう「空間の無限性」や「移動速度の無限性」といったメタバース内経済の特徴の下に成立する経済学を「超空間経済学」と呼んでいる。

（6）マイニング（mining）　取引データを承認する作業のことで、具体的には新たなブロックを生成して、その報酬として仮想通貨を手に入れる行為のこと。一連の計算行為が鉱山で金を探し当てるのと同等に難しいことから「マイニング」（採掘）とネーミングされた。

4章　メタバースとお金の未来

そもそもお金とは何か

この章では、メタバース内で使われるお金がどのようなものになるのかについてお話ししたいと思います。

そもそもお金とはなんでしょうか。経済学の教科書にはよく「価値の尺度」「交換の媒介」「価値の保蔵」という三つの説明が出てきます。この三つを満たしていれば、明確にお金と言っていいでしょう。

「価値の尺度」は、おにぎりは100円、iPhone14は11万9800円といった商品に対応した値段のことです。

「交換の媒介」は難しそうに聞こえますが、お金をモノやサービスと交換できるということ、つまりそれで買い物ができるということです。株式も金融資産ですが、それで買い物はできないので（交換の媒介にはならないので）通貨ではないことになります。

「価値の保蔵」は金融資産の多くが持つ機能で、手に入れてから使うまでその価値が保たれているということです。たとえば美味しい料理に価値があるとして、その価値は保蔵することはできません。お金もハイパーインフレで価値の下落が起きたりするため、完全ではありません。ですが、通常であれば今もらった1万円は来年にもだいたい同様の価値があると考えられるので、お金には価値の保蔵機能があると言えます。

　これらの条件をすべて満たしていなくても、ある程度満たしていればお金と呼ぶことがあります。例えば米や小麦、家畜は、歴史的に「物品貨幣」としてお金の役割を果たしてきました（次ページ、図1）。しかし、家畜は特に先の三つの条件をそれほど満たしていません。例えば牛を考えてみると、そもそも持ち運びが簡単ではなく、死んでしまったら「価値の保蔵」ができません。そして「牛3頭分」ならまだしも、「牛50分の1頭分」というような尺度はわかりにくい。

　このように物品貨幣はお金とはみなされていたものの、貨幣としての機能はあまり高くありませんでした。他方で金属貨幣が歴史上よく使われていたのは、持ち運びが比較的簡単で、錆びない金や銀は価値が変質しにくく、細かく分けて使うことができるという特徴も持っていたからです。

　物品貨幣も金属貨幣も素材それ自体が価値を持つ「実物貨幣」ですが、それに対して、素材それ自体が価値を持つわけではないものの、みんなが価値を認めているのが、現代の貨幣である「名目貨幣」です。

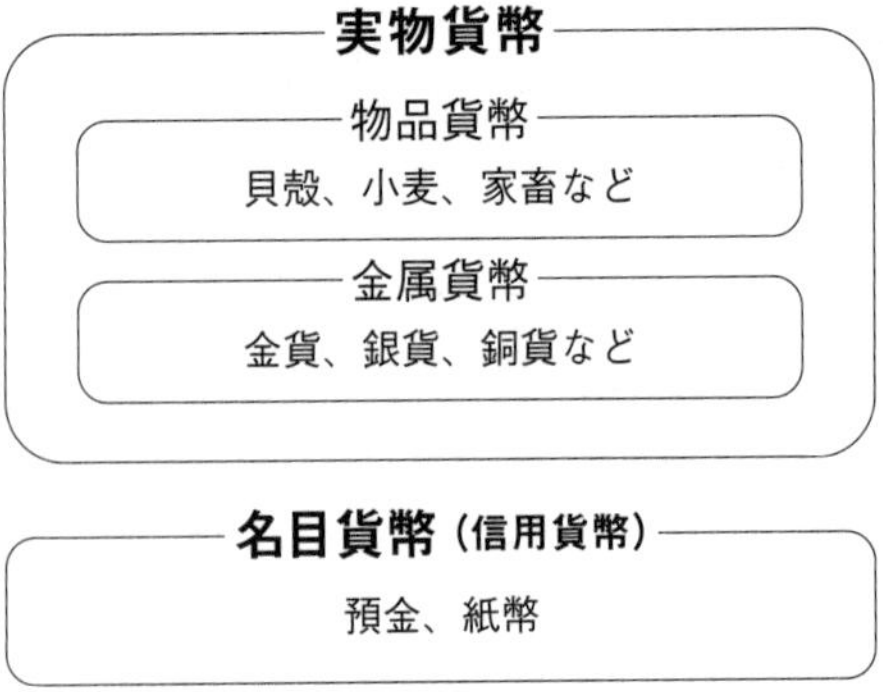

図1　貨幣の分類

　例えば1万円札はただの紙に印刷をしたもので、紙それ自体には価値がないわけですが、日本銀行によって発行されて、みんなが「1万円の価値がある」と信用しているから価値を持つわけです。

　このような「名目貨幣」は、「信用貨幣」とも言われています。あるいはまた、国が法的に「強制通用力」を持たせたお金なので「法定通貨」とも言われています。お札に強制通用力があるということは、お店で支払う際にお札を出すと、お店は受け取りを拒否できないという意味です。

　いま世の中に出回っているお金（マネーサプライとかマネーストックという）は現金と預金から成り立っています。お金というと、お札とかコインのような現金を思い浮かべがちですが、しかし、現実にはそういった現金よりも預金のほうが、お金の量としてはずっと多いのです。そして預金というのは、今やデジタルデータです。

例えば預金口座に１００万円を預けているとして、その実態は１００万円分のお札が金庫に確保されているのではなく、「あなたは１００万円を持っている」という記録があるだけです。この記録はコンピュータ上のデータでしかないので、預金というお金の正体は、我々が預けた物理的なお金ではなく、デジタルデータでしかないということです。

そして現金よりも預金のほうが多いので、今の世の中に出回っているお金、マネーストックのほとんどはデジタルデータだと言えます。お金の本質が情報であるということは、ビットコインのような暗号技術に基づいた仮想通貨の出現によって、よりイメージしやすいものになったと思います。

物品貨幣から金属貨幣、そして名目貨幣へと至る貨幣の歴史は、まさに貨幣のバーチャル度が上がっていく道筋であるとともに、貨幣の本質があらわになる過程とも言えるでしょう。ただし、そういう歴史観は間違っていて、お金は原初から名目貨幣としてあったという指摘もあるので、ご注意ください[1]。

仮想通貨とは何か？

では、仮想通貨とは何でしょうか。そもそもお金と言えるのか。近年脚光を浴びている非主流派経済学であるＭＭＴ[2]（Modern Monetary Theory、現代貨幣理論）では、仮想通貨はお金ではないとされています。

確かに、仮想通貨は「価値の尺度」や「価値の保蔵」としての役割はある程度果たしていますが、「交換の媒介」については怪しいところです。ビットコインはビックカメラでは使えますが、ほとんどのコンビニでは使えません。

したがって、広い意味ではお金に含めても構わないのですが、正確にはお金に準じるものとして位置付けるべきだと思います。そうであっても、国が強制通用力を持たせたお金である法定通貨以外のお金（に近いもの）が流通しているというのは革命的なことです。

この革命は、記録が改竄、偽造されないような仕組みである「ブロックチェーン」によって可能になりました。１章で述べたように、ブロックチェーン上のデータは、

・ＦＴ（ファンジブルトークン）
・ペイメントトークン

・ガバナンストークン

・NFT（ノンファンジブルトークン）

に分けることができます。ペイメントトークンは通貨的なトークンであり、いわゆる仮想通貨のことです。これは証券的なトークンであるガバナンストークンとともに、FTに分類できます。

ガバナンストークンは、DAOが株式のように発行するトークンです。DAOの価値が高まると、このガバナンストークンの価値も上がるため、値上がりした時に売却すれば、株のように儲けることができる。まさに証券的な特徴を持っているわけです。

このようにガバナンストークンは株式に似ていて、仮想通貨はお金のようなもの。でもどちらもFT、つまりファンジブルトークンということになると、なぜ株式とお金が同じジャンルになるのかと不思議に思われるかもしれません。が、そもそも株式とお金は似ています。

企業が株式発行によって調達した資金は、「株主資本」として図2の純資産に計上されます。それに対し社債を発行した場合は、負債に計上されます。何が違うのかと言うと、

図2　企業のバランスシート

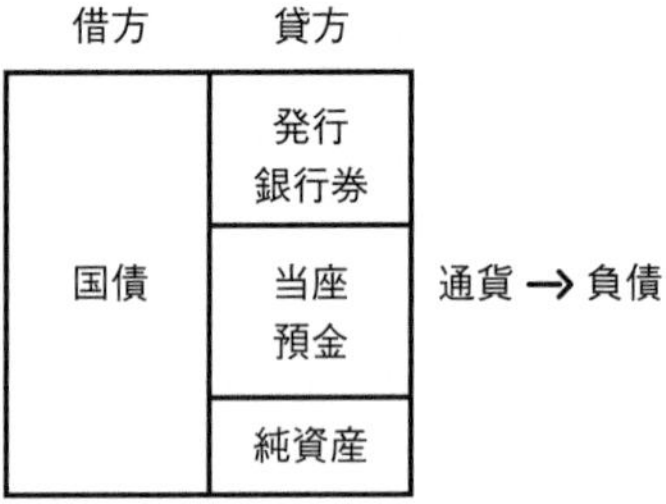

図3　中央銀行のバランスシート

社債の場合、満期にお金を償還（返済）しないといけないのですが、株式の場合は満期がなく償還の必要がありません。要するに、前者は借金なのでいつかお金を返さないといけないのですが、後者は借金ではなくお金を返す必要はないのです。

一方、図3のように私たちが手にしているお札「発行銀行券」や日銀の「当座預金」のお金は、形式上は日銀の負債として計上されます。ですが、日銀はいつかお札などを持っている人に何かを返さなければならないわけではありません。

要するに償還がないということで、こういう負債を私は「債務性のない負債」と言っています。これは借金っぽくない負債という意味で、みなさんは語義矛盾と思うかもしれませんが、それくらいお札を負債と見なすのは実態の伴わないことなのです。

こういうことを言うと、会計士さんに怒られるかもしれませんが、何が負債で何が純資産であるかはそれほど自明なものではありません。例えば、企業が「永久債」を発行したとします。満期がなくて定期的に利払いがあるような債券です。

これは、負債なのか純資産なのか判然としません。債券と言うからには通常は負債ですが、償還の必要がないという意味では、株式と変わりありません。定期的な利払いも配当とほとんど同じようなものです。

企業が永久債を発行した話は聞いたことがありませんが、国であればイギリスが過去に「コンソル債[3]」という永久債を発行したことがあります。これをイギリス政府の負債とみなすべきなのでしょうか？

そうすると、お札を日銀の負債と見なすのも怪しくなってくるわけです。株式にもお札にも償還がないので、どちらも同じ扱いをしないと合点がいきません。

お札をこれまで通り負債として扱ってもいいのですが、それならばお札は永久債の一種と位置付けるべきでしょう。ただし、コンソル債などと違って利払いはないので、「ゼロ金利永久債」ということになります。そうなると、株式の方も永久債の一種と位置付けるべきです。

要するに、何が負債で何が純資産かというのは経済学的にはあまり重要なことではなく、償還があるか否かを重視すべきだということになります。そういう意味では、図4の国債や社債といった債券以外は全て、償還なしの金融資産ということで同じジャンルにくくられることになります。

ただ、配当や投票権が株式にはあるけれど通貨にはない、あるいは「流動性」が通貨にはあるけれど株式にはないといった相違があります。流動性とは、それによってモノやサービスを買うことができるかということ。つまり、「交換の媒介」としての機能を果たしているかということです。そうすると通貨は流動性が高い一方で、株式はいったん通貨に替えなければ買い物ができないので流動性がない（あるいは通貨に比べると流動性が低い）と言えます。

様々な金融資産の特徴を図4のように表すことができます。流動性の有無、投票権の有無、配当の有無など、それぞれ特徴が異なっています。この特徴の組み合わせを考えると、例えば流動性も投票権も配当もある新たな金融資産を生み出せるかもしれません。

実際、1章で説明したディセントラランドというメタバースでは、マナという仮想通貨、つまりペイメントトークンが流通しているのですが、これはガバナンストークンでもあり

	流動性	配当・利子	投票権	償還
法定通貨	○	×	×	×
仮想通貨	△	×	×	×
株式	×	○	○	×
ガバナンストークン	×	△	○	×
国債・社債	×	○	×	○

図4　金融資産の特徴

ます。

ディセントラランドは現在ＤＡＯによって運営されていて、マナの保有量に応じてＤＡＯで意思決定する際の投票権が与えられます。マナは流動性があり、メタバース内の土地などを買える一方、投票権もついてくるので、お金であり株式でもあるキメラ的な存在と言えます。

通貨間競争

仮想通貨の出現によって、私が「通貨間競争」と呼んでいるものがすでに起きつつあり、これから激しくなっていくものと予想されます。現金は中央銀行が発行する法定通貨であり、国家がその通用力を担保しています。

一方で、仮想通貨はブロックチェーン技術によって担保されるもので、国家に代わって民間組織がその主体になります。つまり、国家と民間組織の間で通貨間競争が起きることが考えられるわけです。このことは、通貨をプラットフォームと考えることでよりわかりやすくなるでしょう。

プラットフォームというのは、何かを行うときの共通の土台のようなものです。例えばフェイスブックやツイッターなどのSNSは双方向的なコミュニケーションを行うための土台で、検索エンジンは検索のための土台、OSは様々なソフトウェアを動かすための土台とみなせるわけです。

こうした土台たるプラットフォームの経済学的な特徴は、「ネットワーク外部性」があることだと言えます。これは、利用者が多ければ多いほど、サービスの利便性が増していくという意味です。そうすると、利用者の多いサービスほど利便性ゆえに多く使われるようになるので、市場は独占・寡占化します。

IT系プラットフォームは、ネットワーク外部性の他に、前章で説明した限界費用ゼロという性質を持っているので、独占・寡占化が著しく起きやすくなります。GAFAMが時価総額ランキングの上位に名を連ねているのは、IT系プラットフォームのこうした性質ゆえに、市場を独り占めできるからです。どんなに素晴らしい技術を持っていても、多数の企業が互いにしのぎを削っている状態では、それほど儲けることができません。

通貨もまた、市場で交換を行う際の土台なのでプラットフォームであり、ネットワーク外部性もあります。例えば、地球上で数人しか使っていない通貨があったら、あまりにも利便性がないでしょう。

逆に言うと、使う人が多ければ多いほど通貨は便利になります。ヨーロッパのいくつもの国が独自の通貨を捨てて、ユーロという共通通貨を採用したのも、通貨にネットワーク外部性があるからです。

私たちが円という通貨を使っている最も大きな理由は、みんなが使っているからです。みんなが使っていれば、どこでも通用して便利なので、ますます円を使う動機が高まる。少なくとも円を使わない理由は今の日本にはありません。

プラットフォームというものは、歴史的に国家が中心になって提供してきました。通貨の他、電話や水道、電気、ガスといった生活に欠かせないインフラもプラットフォームであり、国や自治体が直接的に、あるいは間接的に運営・管理することが多かったのです。

例えば電話は、離れている人とコミュニケーションをとるための土台であり、やはり利用者が多いほど利便性が増すので、ネットワーク外部性があると言えます。一人で電話を持っていても全く利用価値がなく、持っている人が多ければ多いほど、色々な人に電話が掛けられて便利です。

アメリカではＡＴ＆Ｔという民間企業が一社独占状態で電話サービスを提供しています。電話にはネットワーク外部性があるため、民間企業が電話サービスを提供すると、一社のサービスしか使われなくなり、独占状態になるというデメリットがありました。実際にＡＴ＆Ｔは「独占禁止法違反」で何度か訴えられています。

その一方、日本では電電公社（日本電信電話公社）という公的機関が電話サービスを提供してきました。今は民営化されてＮＴＴになっていますが、未だに政府から様々な規制を受けており、ＮＴＴ社員は公務員と同様に収賄の罪に問われる可能性があります。

ＩＴ革命以降、デジタルの世界では国家ではなくプラットフォーム企業がプラットフォームを提供しています。デジタル技術の開発は民間企業が先行していたので、民間企業がプラットフォームの提供主体にならざるを得ません。

すると、国家は実空間のプラットフォームを提供し、民間企業はデジタル空間のプラットフォームを提供するという棲み分けが一見できているように見えます。しかし、国家が独占してきた通貨というプラットフォームは、民間組織が仮想通貨に乗り出すなかで、国家と民間組織の双方にまたがるような形になってきました。国家が発行する「フィアットカレンシー」[4]（法定通貨）と民間組織が発行する「クリプトカレンシー」[5]（暗号通貨、仮想通貨）の間で競争が巻き起こっているというわけです。

国家は民間組織が発行する通貨を嫌がる。というのも法定通貨が取って代わられる不安をもたらすからです。

旧フェイスブックにはDiem《ディエム》[6]（旧リブラ）という「ステーブルコイン」[7]を発行する計画がありました。ビットコインなどの仮想通貨は価値が乱高下するので、買い物の際の使い勝手が悪い。そこで出てきたのが、円やドルによって価値が担保された仮想通貨であるステーブルコインです。

ビットコインは決済にあまり使われないので政府もわざわざ潰さなかったわけですが、ディエムのようなステーブルコインになると、ドルに取って代わるという不安があるので、アメリカ政府に潰されました。

中国政府もディエムを敵視していましたし、現在では民間組織が人民元に連動したステーブルコインを発行することを禁止しています。このように国家対民間組織という通貨をめぐる対立は、今激しさを増していると言えます。

もう一方で、国家対国家の通貨をめぐる競争も今後発生するでしょう。例えば、今、C

ＢＤＣ[8]（Central Bank Digital Currency、中央銀行デジタル通貨）が流行の兆しを見せています。これは円なら円という法定通貨を、デジタルマネーにしてしまおうというものです。日本は立ち遅れており、日銀の黒田東彦《はるひこ》総裁がＣＢＤＣである「デジタル円」を導入すべきか否かの判断が２０２６年までにはできるようになると衆議院予算委員会で答弁しています。先行しているのは中国の「デジタル人民元[9]」やスウェーデンの「Ｅ‐クローナ[10]」といったＣＢＤＣであり、試験的な導入が行われています。

　本格的な導入を始めたのはカンボジアの「バコン[11]」で、開発したのは渋谷区にあるソラミツという日本の会社です。技術は日本が持っているにもかかわらず、日本よりもカンボジアの方が先進的な試みをしているのです。素晴らしい潜在力を持っているのに活かし切れず、多くの分野で後塵《こうじん》を拝する今の日本を象徴している事例に思われます。

　このＣＢＤＣの発行で懸念されるのは、他国のＣＢＤＣが強くなることで自国の通貨主権が脅《おびや》かされることです。元々カンボジアの通貨はそれほど強くないので、日本でバコンが広く流通するという話にはならないと思うのですが、中国のＣＢＤＣであるデジタル人民元だったらどうでしょうか。

　中国からの観光客が今後コロナ危機以前のように増えてくるときに、買い物の際に「デジタル人民元は使えますか」という話が出てくる可能性は十分に考えられます。実際、これまでも中国のＱＲコード決済のアリペイ[12]に対応することが中国人観光客の多い店では求められてきました。

「デジタル人民元は使えますか」という声にお店が対応するようになると、その先に、デジタル人民元は便利だから日本人も使おう、という機運が生まれることが想像できるわけです。そうやってデジタル人民元の流通が日本国内で増えるにしたがって、日本の法定通貨である円が相対的にあまり使われなくなってしまう。そういう可能性はそれほど高くはありませんが、なくはありません。

通貨防衛論

日本の法定通貨である円が脅かされる可能性を踏まえて、私は最近「通貨防衛論」というヴィジョンを提唱しています。これは法定通貨である円を守るべきだということで、三島由紀夫の『文化防衛論』をもじっています。

通貨主権を捨てることは軍備を捨てるのと同じくらい危険です。例えば、ギリシャはドラクマという通貨を捨ててユーロ圏に入ったがために大変な目に遭《あ》っています。２０２２

年9月にヨーロッパ中央銀行が大幅な利上げをすることを決定したために、ギリシャのような多くの債務を抱えている国の利払いがさらに増える事態が生じており、財政危機が再燃する予測も出てきています。

これはそもそも、ユーロ圏が景気の具合も債務の多寡《たか》も異なる様々な国を抱えているにもかかわらず、欧州中央銀行がユーロ圏全体の金融政策を一手に握っていることが背景にあります。ギリシャはドラクマを捨てたがために、ドイツを中心とするユーロ圏全体の方針に従わなければならなくなりました。

自国の通貨を守っていくのはきわめて大事なことです。通貨量をコントロールすることで、景気をよくしたり、景気の過熱を抑えたりすることができるからです。「それは金融政策であって、財政政策というものもあるのだから問題ないのでは」と思う人も多いかもしれません。

しかし、政府支出を増やしたり減税したりすれば、債務が増大し金利が上昇する可能性があります。通貨主権のない国では、その国の中央銀行が国債を買い取って金利を下げるということもできず、行き詰まってしまうかもしれないのです。

自国通貨を持つ国においては、赤字国債それ自体は問題になりません。中央銀行という国債の最後の買い手が存在するからです。ギリシャやイタリアのように自国通貨を持たない国においては金利の高騰を防ぐ最終的な手立てはなく、財政破綻に追い込まれる可能性があります。

したがって、安易に通貨主権を手放すべきではないのですが、通貨間競争に巻き込まれると、通貨主権を奪われる可能性が生じてきます。

そもそもビットコインは、通貨間競争を意図してつくられたコインです。ビットコインをつくったとされているサトシ・ナカモト[13]さんは、正体が全く分からず、日本人なのかそうでないのかすら、定かではありません。ですが、論文から察するに、ナカモトさんは筋金入りの「リバタリアン」（自由至上主義者）だと言えます。政府の仕事は政府に任せていてはだめで、民間経済主体が担うほうがうまくいくと考えるのがリバタリアンで、その中でも、極端な人は貨幣の発行すら国の機関に任せるべきではないと主張しています。

日本は長らくデフレだったので、みなさんあまりピンとこないと思うのですが、法定通貨は必ずインフレを引き起こしてしまうと考えられていた時期があります。特に多くの先進国がインフレ気味だった１９７０年代には、「政府・中央銀行は、景気を良くする方が国民は喜ぶからという理由でお金をばらまく傾向にあり、それゆえにインフレが引き起こされる」と言われました。

そういう状況に鑑みて、ノーベル経済学賞の受賞者でもあるフリードリヒ・ハイエクは「貨幣発行自由化論」というものを唱えました。これは通貨の発行を中央銀行や政府に任せると、インフレをいくらでも起こしてしまうので、民間主体の競争に委《ゆだ》ねるべきだという通貨の脱国営化論です。

法定通貨が廃止されて、通貨の発行主体が国家から民間に移ったところで、通貨が多く発行されれば、相変わらずインフレを起こすように思われるかもしれません。しかし、貨幣間の競争があれば、インフレ気味の通貨、つまり価値の下落していく通貨を人々は選ばなくなるので淘汰され、インフレ気味ではない通貨が残っていく。そのようにハイエクは考えたわけです。

前章で述べたように、希少性こそが価値を担保していると考えられるので、通貨の発行量を増やすほど、その価値は失われていきます。だから価値を上昇させたかったら、発行量を減らしたほうがいいということになるわけです。

ハイエクの影響でナカモトさんはビットコインを考案したものと推察されるので、そうであれば世界は今ハイエクの貨幣発行自由化論という青写真に沿って動いているということになります。

ただ、この貨幣発行自由化論には少なくとも二つ問題があります。一つには、国家がもはや通貨量をコントロールできなくなるということです。景気が悪くても通貨量を増やすことで景気を良くすることができません。

もう一つは、通貨の持つ利便性が失われるということです。通貨にはネットワーク外部性があって、利用者が多いほど利便性が増大するわけですが、いくつもの通貨が流通していると、その利便性が失われます。自分が飲み会の幹事を務めていて飲み代を徴収する時に、参加者がそれぞれ違う通貨で払ってきたら困るでしょう。

一つの通貨がその国で支配的になる可能性もありますが、その場合そもそも通貨間競争は失われて、国家が担っているのとそれほど変わらなくなります。

総じて言うと、リバタリアンが言うように何でもかんでも分散化すればいいというわけでもありません。中央集権的なほうがいいものもあるし、分散的なほうがいいものもあるのです。

イデオロギーが先行すると、「大きな政府VS.小さな政府」というように二項対立で考え、政府は大きければ大きいほどいいとか、逆に小さければ小さいほどいいなどと極論に走りがちです。何を政府が担うべきで、何を民間経済主体が担うべきかは、まさにケースバイケースだと思います。

では政府が担ったほうがいいものは何か。それは通貨のようにネットワーク外部性があって人々の生活に欠かせない、プラットフォームの中でも最重要なものです。そう考えると、国家と民間組織の通貨競争も、国家間の通貨競争も激しくなっていくなかで、自国の法定通貨を防衛したほうがいいという結論に至るわけです。

仮想通貨はなぜ決済に使われないか

中央銀行は不要で、あとは通貨間の自由競争に任せることを夢見てサトシ・ナカモトさんが考えたビットコインは、結局のところ、法定通貨にとってそれほど脅威にはなりませんでした。

決済のためにはそれほど使われていないからです。ビットコインはほとんど、買い物に使うためではなく、投資目的で保有されています。投資というと、まるで株式のようですが、株式と違って会社に利益があるわけではないので配当はありません。つまり、価値の根源の部分がぽっかり空いていて、底抜けになっています。なので、ビットコインに価格がついている（円やドルと交換できる）のは、１００％バブルだと言って言えないこともない。実際、「あんなものは全部無価値だ」と仮想通貨を全否定する経済学者もいます。

それでも、ビットコインが買われるのには理由があります。

サトシ・ナカモトさんは、通貨間競争が必要だと考えるとともに、みずからインフレを引き起こさないような通貨をつくろうとしたのです。

金本位制の時代は、お金は金《きん》によって価値が担保されていたため、金の保有量に応じただけのお金しか発行することができませんでした。金本位制が廃止されて管理通貨制度に移行して以降、お金には何の担保もなくなり、自在に増大させられるようになったのでインフレが起こりがちになった。そこで、金を直接使うわけではないものの、金によって価値が担保されているのと同様な仕組みがデジタル的にできないか、とナカモトさんは考えたわけです。

実際、ビットコインを新たに得るには「マイニング」（採掘）という作業が必要で、それはまさに金の採掘からインスピレーションを得ています。ビットコインがデジタルゴールドと言われるゆえんです。

また、新規発行量は４年ごとに半分に減っていくというルールがあり、発行量の上限は

２１００万ビットコイン（ＢＴＣ）と決まっています。むやみに通貨量を増やさないようにしているわけです。

そうして希少価値が初めから約束されているので、ビットコインはインフレになりにくく、逆に言うとデフレになりやすい。というのは価値が上がっていきやすいということです。

ここでビットコインの価格の推移をあらわした図５のグラフを見てみると、短期的には乱高下がありますが、当初から考えれば、かなり価値が上がっていて、「価値の保蔵」機能が長期的には果たされていると言えなくもありません。

そして価値の保蔵手段として優れていればいるほど、それを使って買い物をするのはもったいない、大事な資産なので手もとに置いておこうと考えて、決済手段になりにくくなります。経済学者の岩井克人さんは、ビットコインが決済で使われないのはそういう理由だと説明しています。

デフレになると景気が悪くなり、人々がお金を使うのをしぶるようになるのは、円なら円の価値が上がるので、使わないでおこうというインセンティブが働くからです。実際には、日本が長らく経験したデフレ不況で、その効果がそれほど強かったとは私は思ってい

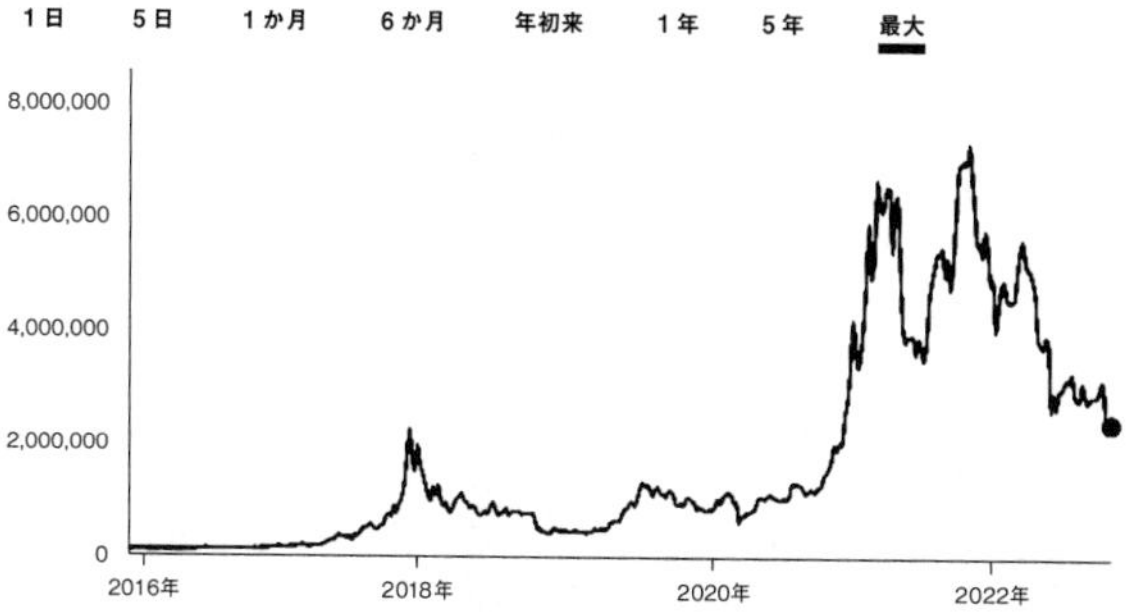

出典：グーグルファイナンス

図5　ビットコインの価格の推移（単位は日本円）

ません。ただ、ビットコインは円に比べてはるかにデフレ化していて、保蔵しておこうというインセンティブがかなり強く働いているがために、決済に使われていないと言うことはできるでしょう。

もう一つ、決済手段になりにくいさらに大きな要因として挙げられるのが法定通貨の優位性です。なぜ法定通貨に優位性があるのか、以下の三つの観点から説明することが可能です。

①ネットワーク外部性が作用している
②租税として納めることができる
③一般受容性がある

①はすでに説明したように、円があまりにも便利なので、誰もが円を使い続けるということです。

②は普段あまり意識することがないかもしれませんが、租税として納めることができるという通貨の機能です。MMT（現代貨幣理論）では、貨幣は租税として納められるチケットであるがために流通しているという「租税貨幣論」が唱えられています。
それ自体に価値のないお札やそこまで価値が高くない銅銭でも流通しているのは、税金を納める際に手に入れる必要があるからというわけです。少なくとも歴史的には租税貨幣論は成り立ちそうです。

他方で、給料が自分の銀行口座に振り込まれたときに、「お給料が入って嬉しい」「これで何かを買える」と喜ぶのが通常の感覚で、「これで税金を納められる」とはあまり思わないはずです。つまり私たちは、租税として納められるという貨幣の側面を普段は意識しないのです。

ではなぜお金をもらえて嬉しいかというと、お店に行ってそれを受け取ってもらえるという③の「一般受容性」を貨幣が有しているからです。すると、貨幣が価値あるものとして他の人が受け取ってくれるから、私も貨幣を価値あるものとして受け取る……というように堂々めぐりの説明になっていく。これは岩井克人さんが説明して有名になった「貨幣の自己循環論法」と言われるものです。要するに、お金に価値があるのはお金に価値があるからだと説明するわけです。

　これは、ＭＭＴ派の経済学者からは「ババ抜き貨幣論」として批判されています。つまり、貨幣の自己循環論法においては、トランプのババ抜きにおけるババのように本来価値のないはずのお金をなぜか人は持っていて、とにかくその「ババ」を誰かに引き渡して代わりに価値のある商品を手に入れようとするわけです。言い換えると、お金はババ同様、一時的に持つ分には構わないが、最後の最後に持っている人はバカだ、ということです。

　通常私たちは仕事をして所得を得るわけですが、お金をもらうのが地球最後の日だったら、そのお金は使うことができず、ババのように「いらないものを受け取ってしまった」ということになりかねません。

　実は私は、「ババ抜き貨幣論」などと揶揄されている「貨幣の自己循環論法」は正しいと思っています。ただ、「価値があるから価値がある」というのは確かに堂々めぐりで、どこかで貨幣を価値づける最初の「神の一撃」が必要です。

　その一撃の役割を果たすのは素材価値や希少性、租税として納められるという性質でしょう。

　金貨や銀貨は素材に価値があり、ビットコインは希少性が担保されており、現在の法定通貨は税金として納められる。そういうふうに最初のきっかけが何かあれば、あとは価値があるから価値があるというように、勝手に価値づけされて流通していきます。

以上の理由で、法定通貨は決済機能について言うと仮想通貨に対し優位性を保っています。しかも今後は、法定通貨がＣＢＤＣになって、さらに使い勝手がよくなる可能性もあるわけです。

仮想通貨の逆襲

では、仮想通貨が決済手段として広く使われるような可能性はあるのでしょうか。もしあるとすれば二つの道が考えられます。一つ目は、仮想通貨の決済機能が拡充されることです。

私は、旧フェイスブックが仮想通貨を発行しても、それほどの脅威にはならないと考えていましたが、もしアマゾンが仮想通貨を発行したら大きな脅威になると思います。なぜかというと、ＧＡＦＡＭの中で、小売り事業を展開しているのはほぼアマゾンだけだからです。

全世界のユーザー数と小売りの規模から考えて、アマゾンが「アマゾン通貨」というような仮想通貨を発行すると一気に広まる可能性があると思います。今でも、アマゾンのギフトカード（アマギフ）がメタバース内の決済手段として流通しているくらいです。

私自身ヘビーユーザーであり、アマゾンで買い物をすることが多いのですが、フェイスブックの通貨をもらってもどうしようかと持て余す一方で、アマゾンで使える通貨だったら、円とそれほど変わりなくもらえてありがたいと思うでしょう。

アマゾン通貨が一定程度流通すれば、「社員がアマゾンで買い物をするなら、給料もアマゾン通貨で払おう」という企業が出てくることなども考えられます。そこまでいくかどうかはもちろん未知数ではあるものの、アマゾン通貨が法定通貨に取って代わる可能性が出てくるでしょう。

二つ目は、仮想通貨がメタバース内で流通することです。今後、メタバース内で本格的な経済取引がなされるようになると、そこで仮想通貨の利用が広がることが考えられます。

メタバース内ですでに仮想通貨が使われている例がいくつかあります。１章で紹介したディセントラランドでは「マナ」、ザ・サンドボックスでは「サンド」という仮想通貨がそれぞれ使われています。ロブロックスでは、「ロバックス」という独自通貨が流通していますが、これはブロックチェーンベースの仮想通貨ではないので、注意が必要です。

「アクシー・インフィニティ[14]」というＮＦＴゲーム系のメタバースでは「ＡＸＳ」という

仮想通貨が使われています。フィリピンではコロナ危機下で職を失った人達が、このゲームで稼ぐということが起きていて、「Play to Earn」（遊んで稼ぐ）の代表例として扱われています。

「マイネイバーアリス」[15]もＮＦＴゲーム系のメタバースで、「どうぶつの森」に触発されて開発されたメタバースです。可愛いらしい絵柄のグラフィックスで女性を主なターゲットにしているようです。メタバース内では、「アリス」という仮想通貨が流通していて、土地を買うことができます。

その一方で、本書で王道系メタバースと位置付けたVRChatやclusterでは仮想通貨が流通していません。なので、メタバースと仮想通貨が親密な関係にあるとは言い切れないのが現状です。

今後、日本企業がつくったメタバースで、ほぼユーザーが日本人のみの場合はクレジットカード決済の形で、法定通貨が使われることも多くなるでしょう。一方で、いろんな国のユーザーがいるメタバースではドルの可能性もあるものの、独自の仮想通貨やビットコインなどの著名な仮想通貨が使われるかもしれません。

メタバース内で独自通貨が採用されて、大々的な経済活動が行われるようになると、その通貨量をどうコントロールするか、どうやって需要と供給を均衡させるような貨幣量にするかという一種の金融政策が必要となります。そうすると、私のようなマクロ経済学者に新たな仕事が生まれるかもしれません。

それはともかく、メタバースは通貨間競争の主戦場になる可能性が生じてきているわけです。現在、法定通貨によって取引される既存の経済圏である「フィアットエコノミー[16]」に対し、仮想通貨によって取引され、NFTやDAOなどとともに形成される新たな経済圏である「クリプトエコノミー[17]」が広がりつつあります。

メタバースは、主にフィアットエコノミーの経済圏に取り込まれていくのか、クリプトエコノミーの経済圏に取り込まれていくのか、はっきりとしていません。後者であれば、

・スマート社会——純粋機械化経済——フィアットエコノミー
・メタバース——純粋デジタル経済——クリプトエコノミー

という対応関係が成り立つことになります。しかし、恐らくそんな図式通りにはいかないでしょう。

注

（1）フェリックス・マーティン『21世紀の貨幣論』東洋経済新報社。

（2）ＭＭＴ（Modern Monetary Theory、現代貨幣理論）　自国通貨を持つ国においては、過度なインフレにならないかぎり財政支出をいくら増やしても問題はない（財政危機なるものは存在しない）という主張で一般に知られている、１９９０年代から存在する非主流派の経済理論。２０１９年、アメリカの史上最年少の女性下院議員、アレクサンドリア・オカシオ＝コルテスがグリーン・ニューディールの財源として赤字国債を挙げ、ＭＭＴ理論を持ち出したことで注目を集めた。

（3）コンソル債　イギリスで発行されている債券の一種。償還期限がなく、永久に一定額の利子が支払われるため、永久債とも呼ばれる。

（4）フィアットカレンシー（fiat currency）　日本円、米ドル、ユーロなど法定通貨のこと。フィアットと略して呼ばれることも多く、仮想通貨投資の世界では「仮想通貨をフィアットに戻す」などという言い方がされる。

（5）クリプトカレンシー（crypto currency）　暗号通貨、仮想通貨のこと。

（6）ディエム（Diem）　旧フェイスブックが提唱したブロックチェーン技術を用いたネットワークと仮想通貨。２０２０年に発行予定とされ、途中でリブラ（Libra）からディエムと改称されたが、22年1月に発行中止が発表された。

(7) ステーブルコイン　価格変動が激しく実用性に課題のあるビットコインのような仮想通貨に対して、取引価格の安定化を目的にドルや金などと連動するように設計された仮想通貨のこと。

(8) CBDC（Central Bank Digital Currency）「中央銀行デジタル通貨」のこと。①デジタル化されていること、②円やドルなどの法定通貨建てであること、③中央銀行の債務として発行されること、以上3点を満たすもの。

(9) デジタル人民元　中国の中央銀行である中国人民銀行が試験発行している「法定デジタル通貨」。国内での実証実験を経て、2022年の北京冬季オリンピック会場で外国人にも公開された。

(10) E-クローナ　2016年以降、スウェーデンの中央銀行で検討されてきたCBDCで、社会での現金使用の減少を背景に、国家が保証する現金を補完するものとして発行される。

(11) バコン（Bakong）　ブロックチェーンの技術開発を手掛ける日本のフィンテック企業ソラミツ（SORAMITSU）とカンボジア国立銀行（NBC、中央銀行）が共同開発したデジタル通貨。電話番号またはQRコードで店舗への支払いや個人・企業間の送金ができる。銀行口座を持たないカンボジア人の金融包摂を狙いとする。

(12) アリペイ（Alipay）　中国最大のオンラインモールのタオバオワンの公式決済システムとして生まれた、中国で最も使われているモバイル決済。オンラインとオフラインの決済機能がある。利用アカウント数は10億超。

(13) サトシ・ナカモト　ビットコインの考案者。名前が本名であるかどうか、一人なのかチームなのかなど素性は不明。2008年11月1日より電子通貨ビットコインに関する論文「Bit-

coin:A Peer-to-Peer Electronic Cash System」を発表し始め、09年1月に運用が開始された。

（13）「アクシー・インフィニティ」（Axie Infinity） ベトナム発のＮＦＴゲームで、フィリピンを中心に広がりを見せている。ゲーム内でＡｘｉｅ（アクシー）というモンスターを戦わせる対戦型ゲームで、プレイヤーは成績によってＳＬＰやＡＸＳという通貨を獲得でき、ビットコインなどの仮想通貨とも交換可能なため、ゲーム内の獲得通貨がそのまま収入となる。

（15）「マイネイバーアリス」（My Neighbor Alice） 魚釣りや虫取り、養蜂などアリスの日常の活動を手伝うことでプレイヤーが報酬を受け取ることのできるブロックチェーンゲーム。「アリス（ＡＬＩＣＥ）」というゲーム内通貨が使われる。

（16） フィアットエコノミー（fiat economy） 円やドルといった法定通貨の流通する従来的な経済圏のこと。

（17） クリプトエコノミー（crypto economy） 円やドルといった法定通貨（フィアット）ではない、仮想通貨やトークンなどの暗号資産（クリプト）が流通する新しい経済圏のこと。

5章　資本主義はどう変わるか？

資本主義とは何か？

3章でメタバースの普及によって、これまでの経済の特徴と大きく異なる「純粋デジタル経済」と呼べるものが誕生すると述べました。4章では、仮想通貨がメタバース内で普及する可能性が一定程度あると結論付けました。

それらを踏まえて、本章ではメタバースやWeb3・0によって資本主義がどう変容するか、資本主義が抱える所得格差や地域格差、環境破壊といった問題が解消されるのか、深刻化するのかについて論じたいと思います。

そもそも資本主義とはいかなる経済なのでしょうか。マルクス経済学ではよく「資本が自己増殖運動を起こす経済」というような言い方をします。「自己」という言葉は妙に哲学的なので、私は「自己」を省いて「資本が増殖運動を起こす経済」（定義1）と定義しています。

マルクス経済学では、工場にある機械も、それを買うのに必要な資金も「資本」と呼びます。区別する際には、前者を「生産資本」、後者を「貨幣資本」などと言います。会計学でいう資本とは意味が異なっているので注意してください。

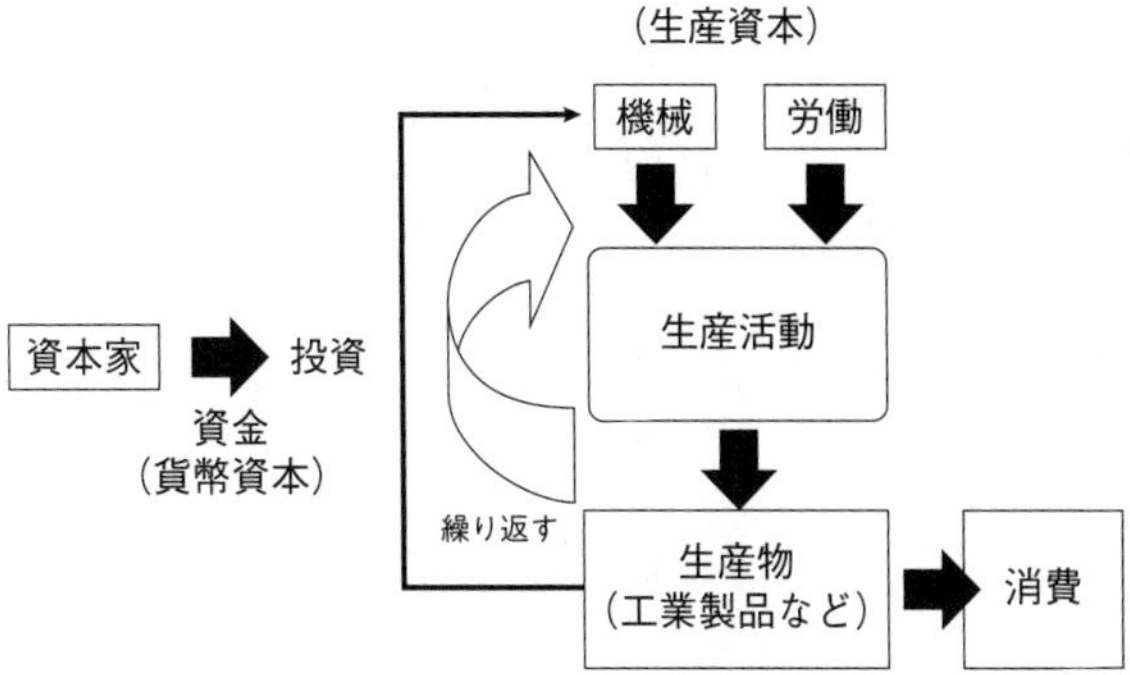

図1　資本の増殖運動

図1のように、資本家が資金で機械を購入しモノを生産し販売する。それによって得られる利益を資金源として再投資し拡大再生産を行う。こうして、貨幣資本も生産資本も増大していき、経済成長が図られます。このようなダイナミックな経済現象を指して増殖運動と言っているのです。

定義1の場合、ソ連型社会主義もまた資本主義と言えます。例えばスターリン政権下では、五カ年計画を実施し、膨大な人々に犠牲を強いて、資本を増殖させようとしました。

企業（資本家）の代わりに、国家が担い手になっているだけで、資本の増殖運動が起きていることには変わりないのです。それゆえ、ソ連型社会主義を「国家資本主義」の一種とみなす人もいます。しかし、このような経済体制は私たちが考える資本主義のイメージとは異なっています。

これに対して、投資の担い手があくまで「資本家」であることを重視し、資本主義の定義を「生産活動に多額の資金が必要なために、資金を持っている者（資本家）が投資によって格段に儲けることができるような経済」（定義2）とすることもできます。

この定義2のほうが普通にイメージされる資本主義です。したがって、ここでは定義1を踏まえつつも、定義2の意味で、資本主義という言葉を使っていきましょう。

資金を持っている者、すなわち資本家が投資によって格段に儲けられるようになり、力を持つようになったのはなぜかというと、産業革命以降の生産活動には、資本財（資本、生産資本）が必要になったからです。

農業中心の経済の場合には、ほとんど機械を使っていないので、資金を持っていても、それほど儲けられません。ところが、産業革命以降には、工場や機械などの資本財を設置するには莫大な資金が必要で、その資金を提供する資本家が儲けられるような工業中心の経済へと転換していったわけです。

それがために機械を操作して働く「労働者」と、機械を買うために必要な資金を提供する「資本家」という二つの「階級」が誕生した、とマルクス経済学的に考えることができます。

その際、「労働」も市場で売り買いされる商品となりました。人々は先祖から代々伝わる土地を耕して生活の糧《かて》を得るのではなく、企業に労働を売って賃金を得て暮らすようになったからです。

産業革命を比較的早く成し遂げたのは、元々市場経済が発達していた欧米や日本ですが、それらの地域では市場経済のさらなる拡大が図られます。ハンガリーの経済学者カール・ポランニーは、本来商品ではない「労働」「土地」「貨幣」の商品化を含む市場経済の劇的な拡大を「大転換」と呼びました。貨幣の商品化というのは分かりにくいかもしれませんが、金融市場でお金が売り買い（貸し借り）されていて、商品化されていることをイメージしてください。

金融市場は、株式の発行などで資金を調達する「直接金融」と銀行から資金を調達する「間接金融」に分けられます。株式会社は産業革命がイギリスで起きた当初、まだそれほど支配的ではありませんでした。

第二次産業革命で「軽工業」（繊維、製紙、食料品など）中心から「重化学工業」（鉄鋼、機械製品、化学製品など）中心になり、より大きな生産設備を必要とする中で、株式会社が発展していったのです。

それにつれ、資本家が経営者も兼ねていた構図は変化を遂げます。資本家と呼ばれていた人たちが、資本家と経営者に分離しました。これを「所有と経営の分離」と言います。企業の株式を保有している資本家は、その企業を所有していることになるからです。

このように資金提供する資本家と、実際に会社を経営する経営者の分離が果たされて、今の資本主義は、資本家・経営者・労働者の三つに経済主体が分かれているわけです。ただし、株式を持っている労働者もいるので、一人の人間が資本家と労働者を兼ねる場合もあると言えます。

もう一つ、株式を持つ資本家以外に、資金を提供する主体として、銀行が大きな力を持ったということも、近代的な資本主義の重要な特徴の一つだといえます。

以上をまとめると、私たちが普通にイメージする定義2の資本主義は、

（1）資本財の購入に多額の資金が必要

（2）市場経済の発達

（3）資本家・経営者・労働者の分離

（4）株式会社の発達
（5）銀行が経済全体に対して支配的

という五つの特徴を備えていることになります。これこそが、典型的な近代資本主義であると言えるでしょう。

揺らぐ銀行の支配

本章ではメタバースによる資本主義の変容を論じたいわけですが、メタバースを持ち出すまでもなく、すでに揺らいでいるのは（5）の「銀行の支配」です。これは特に日本では顕著で、企業が以前ほど銀行から資金を借りなくなってきました。

原因としては間接金融から直接金融への移行もありますが、デフレ不況が長く続いた日本で、あまり盛んに投資が行われなくなったことが挙げられます。すると銀行からお金を借りる必要はないし、借りるどころか内部留保という形でお金をため込む傾向にあります。それがデフレ不況の長期化の要因の一つです。企業にお金を貸すという銀行の資金提供の機能が日本では果たされなくなってきたのです。

では銀行は何をして儲けているかというと、国債を売買したり、住宅ローンを売ったり、多額の銀行預金を持っている人に投資信託を売ったり、あとは預金口座の手数料収入だったり、本業でないところでの儲けを増やしていきました。

このように銀行が銀行の役割をあまり果たさなくなってきたために、(5)「銀行の支配」は揺らぎつつあったわけですが、電子決済サービスやモバイルマネーの出現によってさらに危うくなっています。

日本にはＰａｙＰａｙ[1]やＬＩＮＥ Ｐａｙ[2]、楽天ペイといった電子決済サービスがあり、近年利用者が劇的に増えています。利用率は調査によってかなりばらつきがありますが、ほとんどの調査でＰａｙＰａｙがＳｕｉｃａを上回っています。そのうえ２０２３年度には、給与の支払いが直接ＰａｙＰａｙなどのアプリに振り込まれる「給与デジタル払い」が法的に可能になり、ますます利用者が増加するものと予想されます。

なぜ、我々は銀行口座を利用するのか？　それは、

① ＡＴＭを使って銀行口座のお金を引き出す以外に現金を手に入れる手段がない
② 銀行振込しかお金を送金する手段がない

③ 給料がそもそも銀行口座に振り込まれる

の三つの理由があります。

キャッシュレス化によって①の理由が消え、電子決済サービスの普及により③の理由が消え、給与デジタル払いの普及により③の理由が消えます。もちろん、給与デジタル払いがすぐに広がっていくわけではないし、セキュリティ面で解決しなければならない問題はありますが、銀行口座が使われなくなる未来は十分現実的なものとして考えられます。

銀行口座を利用せずに、通信してお金を送り合うことが当たり前になった地域もあります。例えば、ケニアの企業が開発したMペサ[3]という、携帯電話で互いに送り合えるモバイルマネーがあって、これはアフリカの国々だけでなくインドやヨーロッパにまで広がりを見せています。

発展途上国では銀行口座を持っていない人が特に多く、クレジットカードも使えないのでモバイルマネーが爆発的に普及しているのです。誰もが金融サービスを使えるようになることを「金融包摂」と言いますが、Mペサは金融包摂の例としても度々取り上げられています。

ここまでは、私の分類では第三次産業革命＝ＩＴ革命の範疇《はんちゅう》です。ブロックチェーンは第四次産業革命の起爆剤になる汎用目的技術の候補の一つであり、このブロックチェーンによって可能になるＷｅｂ３・０的技術・仕組みの普及によって、さらに銀行の地位が危うくなるだろうと考えています。

１章で既に説明している通り、Ｗｅｂ３・０というのは、金融システムから組織ガバナンスまで、あらゆる領域で起きつつある中央集権型から分散型への動きだと言えます。既存の金融システムは、銀行という中央集権的な経済主体が支配的であるのに対し、そうではない新しい分散型金融を目指す動きが出てきました。

これは「ＤｅＦｉ」[4]（Decentralized Finance、ディーファイ、分散型金融）と呼ばれており、中央管理者を介さずにユーザー同士で金融サービスを利用できるという特徴があり、取引データはすべてブロックチェーンに記録されます。分かりやすく言うと、ネット越しに知らない人どうし、お金の貸し借りをするイメージです。

ＤｅＦｉが流行ったのが２０２０年で、21年はＮＦＴ、22年はＤＡＯといったように、Ｗｅｂ３・０的な技術・仕組みのブームが続々と巻き起こっています。

中でも、日本では仮想通貨のブームが著しく大きく、２０１７年くらいまでは日本人がいちばん仮想通貨を持っていました。しかし、コインチェック事件[5]のような仮想通貨が盗難に遭うトラブルが起き、さらにそれを受けて政府が規制を強め、日本人の仮想通貨離れが一気に進みました。

こうして人々のあいだにWeb3.0を支えるブロックチェーン的なものへのネガティブな印象が根づいたためか、日本では他の国ほどNFTやDeFi、DAOといったものが盛り上がっていません。

NFTについて言うと、主要国で最も知っている人が少ないのが日本で、多いのはマレーシア、タイ、フィリピンといった東南アジアの国々です。こういった国々は学習意欲が高い人が多く、新しい技術についてもアグレッシブです。7章でまた論じますが、日本人の知的好奇心の低さは異常なほどです。

いずれにせよ、仮想通貨やNFT、DeFi、DAOなどから構成されるクリプトエコノミーが拡大すればするほど、法定通貨を扱っている銀行の地位が沈下することになります。極めつけは、CBDCの導入です。これには大きく分けて2種類があるのですが、そのうちの一つは民間銀行のみ利用できる「ホールセール型」で、もう一つは個人や企業が利用できる「一般利用型」です。

一般利用型には、個人や企業が民間銀行を介して利用する「間接型」と直接中央銀行からサービスを受ける「直接型」があります。後者はさらに、私たちが直接日銀のような中央銀行に口座を持つことができる「口座型」(図2)と中央銀行が発行するトークンをスマホなどにチャージして使う「トークン型」(図3)に分けられます。

いずれにせよ、一般利用型で直接型のCBDCが普及した場合、図2・3のように民間銀行をスキップして、私たちは直接中央銀行のサービスを利用することになります。そうなった場合、民間銀行の口座を利用する必要がかなり薄れてしまいます。

このように、(5)「銀行の支配」を揺るがす材料には事欠かないわけです。

DAOは脱近代資本主義を促進する

ようやくメタバースの話に移りますが、メタバース内の経済では資本財をほとんど必要としないので、資金があまりいらなくなります。そういう意味では、産業革命以前の農業中心の経済に似ていますが、当然のことながら莫大な土地が必要なわけではありません。

それはクリエイター中心の経済であり、資本家の優位性が崩れることになるので、近代資本主義の特徴(1)「資本財の購入に多額の資金が必要」が揺らぎます。

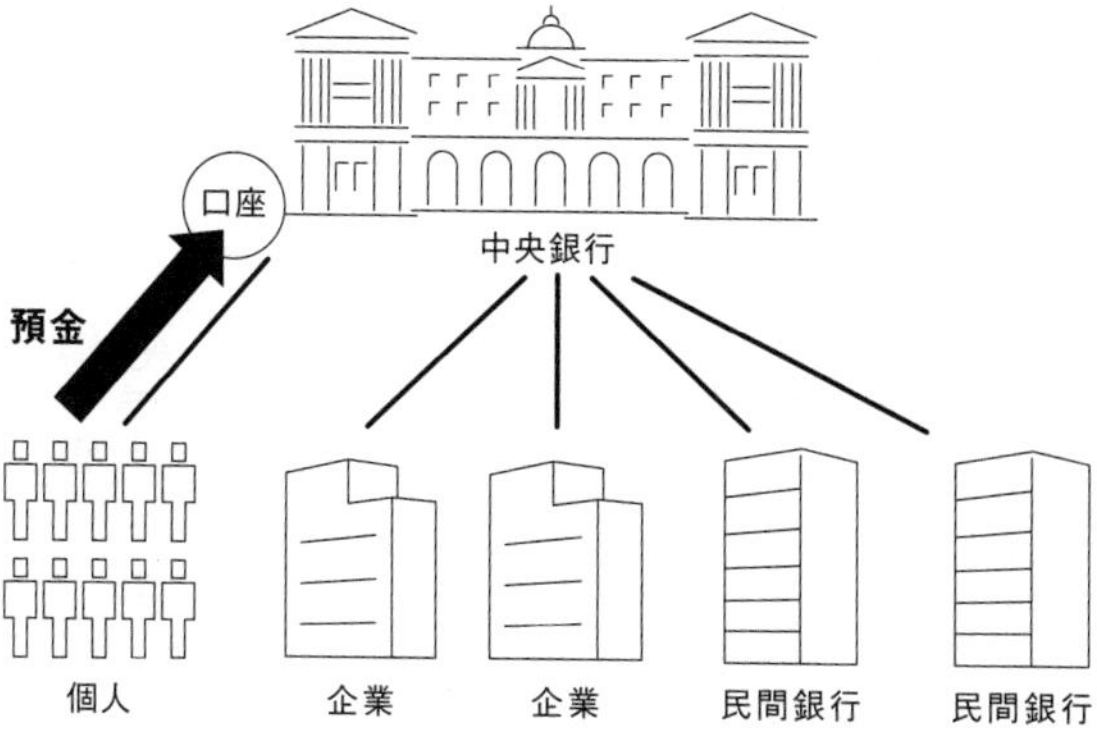

図2　一般利用型 CBDC（口座型）

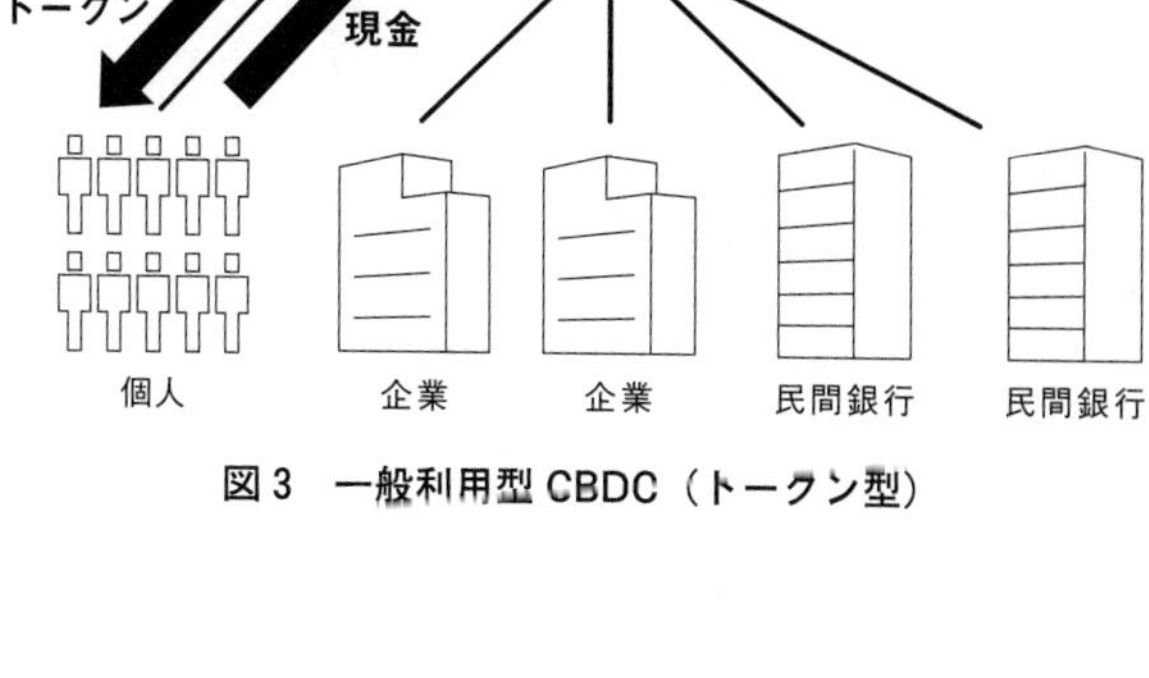

図3　一般利用型 CBDC（トークン型）

さらにメタバースと相性がよく、抱き合わせで語られることの多いＤＡＯが、この脱近代資本主義の流れを促進するかもしれません。

ＤＡＯとは、従来の会社組織とは異なる分散型組織で、仕事や働き方を変える可能性を秘めていると言われ、いま注目を集めています。日本では、元ＭＩＴメディアラボ所長の伊藤穰一さんが「Henkaku《変革》」というコミュニティをＤＡＯの形で主宰していたり、ＺＯＺＯ社（当時スタートトゥデイ社）の創業者である前澤友作さんが「ＭＺＤＡＯ《エムズィーダオ》」を展開したりして、話題になっています。私はＤＡＯで新しい政党をつくれないかと思考実験をしているところですが、難しそうです。

私がＤＡＯについて最初に知った時に想い起こしたのは、アソシエーションという組織形態です。アソシエーションとは、今の企業のように労働者と経営者が分離しているのではなく、労働者一人ひとりが、企業の経営方針などを決めるときに民主的に投票して決めるような組織です。

身近なところで言うと、大学はアソシエーションとして捉えられます。中には理事長が大学教員の上に暴君として君臨しているような恐ろしい大学もあるようですが、私のいる駒澤大学のように平和な大学では、学部ごとに学部長はいるものの、それはまとめ役にすぎず、大事な決定をするときには教員が一人１票を投じて民主的に決定していく形をとります。つまり、大学は非常にアソシエーション的なのです。

一般的にはアソシエーションは、労働者と経営者の分離が解消された状態として論じられることが多いのですが、一方で、労働者と資本家の分離の解消が論じられることもあり、その手段としては、消費者がお金を払って資金提供する「生活協同組合」の形式や、労働者自身が株式を持つ形式が挙げられます。

つまりアソシエーションは、労働者と経営者の分離が解消されているだけでなく、労働者、経営者、資本家の分離が全て解消されているものとしても考えられます。

もともとマルクスが提唱していた社会主義というのはソ連型社会主義ではなく、アソシエーションの連合体がこれまでの企業や国家に取って代わった体制である「アソシエーショニズム」だということは前から言われていました。

日本では、思想家で批評家の柄谷行人さんが長らくこのアソシエーショニズムを提唱していて、最近では２０２１年に『ニュー・アソシエーショニスト宣言』（作品社）という本を出版しています。私は昔から柄谷さんのファンなので追い続けているのですが、他にも『人新世の「資本論」』（集英社新書）がベストセラーになった斎藤幸平さんが、アソシエーショニズムをソ連型ではない社会主義として提唱しています。

これまで私は柄谷さんのファンでありながら、アソシエーショニズムには懐疑的でした。最近出版された元オリックス会長の宮内義彦さんと私の対談本『2050年「人新世」の未来論争』(プレジデント社)でも、アソシエーションがトヨタとかパナソニックなどの企業に取って代わる気配はみじんもなく、アソシエーショニズムは全く実現しないだろうなどと言っています。

私がお金をたくさん持っていてお店のオーナーになるのなら、お金は提供するけれど経営には口を出さないで、スタッフの自主管理に任せるなどということはしません。有能そうな人に店長を任せて、もし店長が真面目にやらなかったらクビにするという体制を敷くと思います。

株式会社というのはある意味、それを大がかりにやっているようなもので、誰かに責任をとってほしいわけです。トヨタやパナソニックが会長や社長をなしにして、スタッフが自分たちで民主的に経営するという形にしてみても、株主はあまりお金を出さない気がします。

そのように思っていたわけですが、DAOを知ってから私も若干考えを変えました。DAOは参加者一人ひとりが労働者、経営者、資本家であり、階層構造がなく参加者全員がフラットであるような組織形態です。するとＤＡＯは、一部の社会主義者の皆さんが夢に描いていたアソシエーションそのものだと考えられます。

ただ、仮にＤＡＯが普及する世の中になったとしても、それは資本主義が崩壊し、社会主義に転換するというような革命的な出来事にはならないでしょう。

なぜなら、ＤＡＯは万能ではないので、あらゆる株式会社に取って代わるようにはならないからです。まずＤＡＯは、働きたいときに働きたいタイミングで働くというスタイルをとっています。通常の雇用された労働者のように朝9時から夕方5時まで働かなければいけないなどという規則はなく、完全に何もかもが自由です。

しかし、自由であるかわりに、雇用は保障されていないので、それだけでは普通に暮らしていけない。つまり自分の能力に自信のある人が、複数のＤＡＯで稼いで生活していく形は考えられる一方で、それだけでは生活が安定しないため、一般市民にはあまり向いているとは言えません。

普通の人が参加するとしても、日中は会社に勤めていて夜はＤＡＯで仕事をするというような副業的なスタイルをとらざるを得ないはずです。

全体としてはＤＡＯの形態をとりながらも、部分的には人を雇って給料を渡し仕事をしてもらうということも可能ですが、それではもはやその部分についてはＤＡＯの形態になっておらず、参加者全員が労働者、経営者、資本家であるというアソシエーションらしさを損ねています。

ＤＡＯはまたフリーなワークスタイルをとっているため、リアルなお店の経営には向いていないでしょう。既にＤＡＯでお店を経営する試みはありますが、それが拡大していくとは思えません。

お店の種類にもよるのですが、普通は営業時間内には店員さんがいないといけません。でも、ＤＡＯはいつ働こうが自由なので、決まった時間に人がいない可能性が出てくるわけです。適当な時間に開けたり閉めたりする道楽でやるようなお店ならいいのですが、しっかり収益を得ようとしたら、やはりきちんと個々人に責任を持たせるスタイルを取らざるを得ず、それにはＤＡＯは向いていません。

たまたま、ＤＡＯに責任感が強い人が集まっているという場合は、うまくいく可能性がありますが、一般論として向いているとは言えないというわけです。

今でもメタバース内のカフェとかバーがありますが、メタバース内のお店ならば店員さんがいなくてもそれほど問題はありません。お店のものを盗まれたりするわけでもないし、メタバース内ではとても緩い形でのサービスの提供が許される場合が多いからです。

ＤＡＯはさらに納期のある仕事や実物財をつくる仕事にも向いていません。例えば、自動車を製造するのに向いているかというと厳しいでしょう。車をつくるには、「ここのベルトコンベアに並んでいる人は、こういう作業をやってください」というような命令指揮系統がある中で、人々がその命令どおりにトップダウンで動いていく形式でないとつくるのが難しいからです。

逆に向いているのはソフトウェア開発で、中でも納期のないような仕事です。ソフトウェアのソースコードを一般公開して、自由に利用できるようにするオープンソース思想というものがあり、Ｌｉｎｕｘ《リナックス》というパソコンのＯＳがその代表例としてよく語られています。

Ｌｉｎｕｘのプロジェクトは、リーナス・トーバルズさんというフィンランド人が始めたオープンソースプロジェクトですが、リーナスさんが統括しているわけではありません。

多くの人がそのプログラミングに自主的に関わっていて、中心となる命令系統がないにもかかわらず、自律分散的にプロジェクトが進行しています。でもそれはソフトウェア開発だからうまくいくのであって、車には向かないはずです。

総じて言うと、ＤＡＯはデジタル財をつくる仕事で、納期がなく、時間的拘束の必要がない仕事には向いています。そういう意味では、ＤＡＯとメタバースは相性がいいはずです。

逆に言うと、ＤＡＯは、実物財の製造や作業者の時間的拘束を必要とする仕事、納期のある仕事には向いていません。したがって、未来における現実世界であるスマート社会では株式会社が残り続ける可能性が高いでしょう。

メタバースが拡大し現実の社会が縮小するにつれて、ＤＡＯが増大し株式会社が減少するというようなことが予測されますが、ＤＡＯが株式会社を凌駕《りょうが》するほど多くなることは、あってもかなり遠い未来でしょう。

これまでのところをまとめると、（１）の「資本財の購入に多額の資金が必要」というのはメタバースの普及によって、（３）「資本家・経営者・労働者の分離」と（４）「株式会社の発達」はＤＡＯによって、（５）「銀行の支配」は電子決済サービスや仮想通貨、ＣＢＤＣなどによってそれぞれ揺るがされます。

ただし（１）が揺るがされると言っても、資金が全く必要なくなるわけではありません。既に述べたように、メタバース内のプロジェクトであっても、ある程度資金が必要だからです。

しかも、有望なＤＡＯを早めに見抜いてそのトークンを購入して後で売れば、べらぼうに儲けられるかもしれないのです。これだけを見ても、資本主義が崩壊して社会主義になるとは言い難いことが理解できるでしょう。

さらに、（３）と（４）が揺るがされるのは、メタバースやクリプトエコノミー内に限られます。（５）は既に崩壊しつつあります。そして、（２）「市場経済の発達」は基本的には残るでしょう。

したがって、仮にメタバースが普及し、クリプトエコノミーが拡充したとしても、その中ですら社会主義とは呼べない状況で、さらにその外のスマート社会とフィアットエコノミーの方は相変わらず資本財の購入のために莫大な資金が必要とされ、株式会社が跳梁《ちょうりょう》跋扈《ばっこ》するという意味で、これまで通りの経済です。したがって、資本主義は大きく変容するけれど、社会主義になるわけではないと言えそうです。

Web3の思想的背景としてのハッカー文化

さて、ここまでＤＡＯやＤｅＦｉやＮＦＴなどのＷｅｂ３・０的技術・仕組みやメタバースがもたらす新しい資本主義について論じてきたわけですが、思想としての「Ｗｅｂ

３」が生み出された背景を考えてみたいと思います。

まず、分散型社会を実現しようとするＷｅｂ３は一種のハッカー文化の再来と考えられます。これは私の『純粋機械化経済』（日本経済新聞出版）という本に書いたことですが、そもそもハッカー文化のルーツにヒッピー文化があります。

１９６０年代のヒッピーは、ファックとロック、ドラッグによって、あるいはラブ＆ピースを唱えることでユートピアをつくろうと考えたのに対して、ハッカーの人たちは、その断念の結果、情報技術を進化させることによって、長い時間をかけてユートピアに至ろうとしたのです。

ヒッピーからハッカーに転身した典型はスティーブ・ジョブズで、浮浪者みたいな格好をしたり東洋思想に傾倒したり、放浪癖があったりＬＳＤをやってラリったりしていて、ヒッピー文化のど真ん中にいた人です。

ただ、ヒッピーからハッカーに転向し、そのハッカーが金儲けを始めたことで、元来有していたヒッピー的な反骨精神とか反体制的な精神を失ってしまいました。

いかにインターネットで世界をよくすると綺麗《きれい》ごとを言ってみても、儲け主義にならざるを得ないし、儲けるためには、ユーザーやデータを囲い込まなければならないわけです。

いくども述べたように、検索エンジンにしてもＳＮＳにしても、デジタル系のプラットフォームは、ネットワーク外部性と限界費用ゼロがあるために、独占・寡占化が進む。そして市場の独り占めほど、お金儲けに都合のいいことはありません。ほかにライバルの会社はないわけですから、自分で高めに価格設定して莫大な利益を得る「ウィナーテイクオール」（ひとり勝ち）の経済を謳歌できるわけです。

ハッカー文化はアナーキズムの一種であり、ＧＡＦＡＭはそうしたアナーキズムを喪失しているとも言えます。ハッカー文化の中には、政府は要らないとか、政府は悪とか、自分たち市民がなんとかするという思想があります。リバタリアンは小さな政府を目指していて、アナーキズムは、政府は全く要らない、ゼロに近づけたいと考えており、リバタリアニズムの極限としてアナーキズムがあるとも言えます。

アナーキズムというと、混沌とかめちゃくちゃ主義に聞こえるかもしれませんが、私が考えるには多くのアナーキズムはその逆で、ほうっておいてもうまくいくというものです。日本人にはこのアナーキズム的な部分があって、東日本大震災が起きたときに皆さんきちんとコンビニに列をつくっていたことなどが、実はアナーキズムです。

あそこでめちゃくちゃになるのは実はアナーキズムではありません。誰かが命令してーキストです。

「ちゃんと並んでください」と言わなくても自発的にきちんと並べるのが清く正しいアナーキストです。

自分はアナーキストだと言っているハッカーがアメリカにはたくさんいます。ウィキペディアなんかも、まさしくアナーキズムの申し子です。あんな風に誰も指揮を執ることなく、色々な人が好き勝手に書き込んで、それなりに秩序のある百科事典ができる、というのは不思議なことですが、自生的秩序というのは私たちが思っている以上にうまく秩序だった産物を生み出すことができます。

さらにアメリカには、「サイファーパンク」という、暗号技術を使って社会を変革しようとする反体制的で無政府主義的な活動家たちがいます。サイファーは暗号技術のことで、サイバーパンクをもじったものです。

このサイファーパンクで有名な人にティモシー・C・メイという技術者がいて、1992年に「クリプトアナーキスト宣言」という文章を書いています。冒頭の「妖怪が近代世界に出没している。クリプトアナーキーという妖怪が」という文章は、『共産党宣言』を真似ています。

ですが、ソ連型の社会主義を目指しているわけではなく、このクリプトアナーキスト宣言で論じられていることも、クリプト（暗号技術）を使って、政府抜きにうまくやりましょうという話です。Ｗｅｂ３という思想運動は、このクリプトアナーキズムの延長上にあると言っていいでしょう。

Ｗｅｂ３によってＧＡＦＡＭの地位は揺らぐか？

　Ｗｅｂ３は、ＧＡＦＡＭのような中央集権的な体制を批判していますが、実際、これからＧＡＦＡＭの地位は崩れるのでしょうか？　フェイスブックであれ、ツイッターであれ、ＳＮＳはプラットフォーム企業によって提供されていますが、Ｗｅｂ３・０的であるかどうか、つまり分散的であるかどうかの指標の一つとして、ＳＮＳ間でデータの移行ができるかどうかがあります。

　今だと、例えばツイッターに書き込んだ言葉は、自分のパソコンに一定の形式でダウンロードして、そのデータをフェイスブックの方にアップロードするということはできません。せいぜい、ツイッターの書き込みをフェイスブックに連携させられるくらいです。要するに「相互運用性」がないのです。

　既に、データ移行ができるようなＳＮＳのサービスが出てきていますが、それが広がるかどうかは、データ移行をどれだけユーザーが望むかにかかっているでしょう。

そういう意味では今のところ、Ｗｅｂ３・０のコンセプトは空回りしているように思えます。というのも、普通の人たちは、集権的だろうが分散的だろうがどちらでも構わなくて、便利ならいいとしか思っていません。特に日本のユーザーは、デジタル技術の思想性にはほとんど興味を持っていないでしょう。

逆に言うと、便利なものに人は流れていくので、データ移行できる便利さが望まれているかどうかにＷｅｂ３・０の行方が左右される面もあります。しかしながら、今のところ、ＳＮＳなどの既存のプラットフォームについて相互運用性を望む強い要望は出てきていません。

しかも、たとえユーザーが相互運用性を望んで、各ＳＮＳがそれに応じたとしても、特にデジタル系のプラットフォームの持つ、限界費用ゼロやネットワーク外部性といった性質が失われるわけではないので、独占・寡占の地位は揺るがないはずです。

さらに言うと、ＳＮＳの独占・寡占が揺らいでも、困るのはフェイスブックを主力サービスにしているメタ社くらいです。そのメタ社ですらＨＭＤのメタ・クエスト2を持っており、それに続く有望なＶＲデバイスを提供することができれば支配的な地位を保つことができます。

他にも、グーグルなら検索システムやアンドロイド、アップルならiPhone、アマゾンならＥＣサイト、マイクロソフトならウィンドウズをそれぞれ握っており、ブロックチェーン技術をいかに駆使しても、これらの盤石なプラットフォームに打撃を与えられるとは思えません。したがって、ＧＡＦＡＭの地位を脅かすものがあったとしても、それはＷｅｂ３・０ではあり得ないでしょう。

頭脳資本主義とは何か

それでも、仮想通貨やＤＡＯ、ＮＦＴといったＷｅｂ３・０的な技術は広く使われるようになり、メタバースも普及して、資本主義は新たな段階を迎えると思います。私は以前より、ＡＩが発展していくにつれて、「頭脳資本主義」というものが全面化すると考えていました。これは、もともとは物理学者でシンギュラリティなどについて論じている神戸大学名誉教授の松田卓也さんが考案した言葉です。

私はこの頭脳資本主義を、労働者の頭数ではなく頭脳のレベルが、企業の売り上げや一国のＧＤＰを決定づける経済と解釈しています。昔、経済評論家の堺屋太一さんが「知価社会」と呼んでいたものや、イタリアの経済学者であるアンドレア・フマガッリさんなどが「認知資本主義」と呼んでいるものと似たような概念です。

頭脳資本主義は、すでに世界的な頭脳の奪い合いという形でその姿を現しています。アルファ碁[6]という囲碁のＡＩをつくったイギリスのディープマインド社が、グーグルに4億ドルで買収されたことが大きなニュースになったことがあります。当時のディープマインド社は社員がわずか数十人で、工場を持っているわけでもないし何の資産があるわけでもなかった。つまり、その数十人の頭脳が4億ドルで買収されたわけで、それだけ頭脳が重宝される時代になったということです。

ではなぜ頭脳資本主義が全面化していくのかというと、一つにはＡＩなどの先端技術が生産性やイノベーションに与える影響が大きいので、先端技術を研究開発できることが企業の売り上げや利益に直結するからです。

もう一つは、ＡＩなどの技術によって自動化が進むと、モノを製造したり運んだりする人材は機械に代替されるので、ビジネスのアイデアを出して形にできるような人材が重要になってくるということです。

さらに、頭脳資本主義がいかなるものかを明らかにするために、台湾のパソコンメーカ

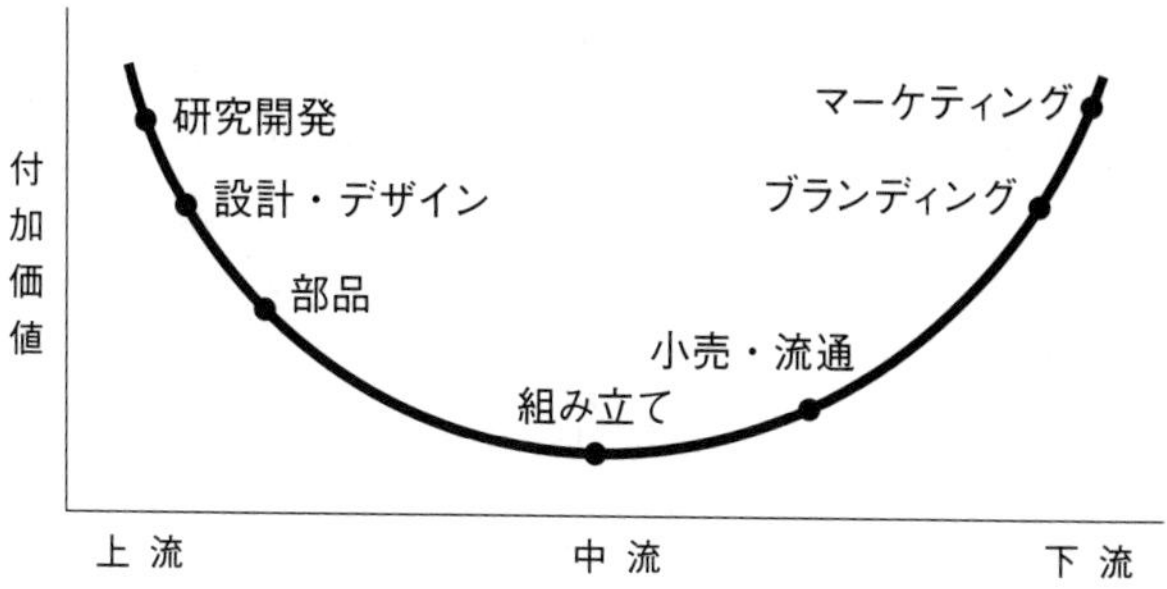

図4　スマイルカーブ理論

ー、エイサーの創業者であるスタン・シーさんが提唱したスマイルカーブ理論を紹介しておきましょう。

図４のようにスマイルカーブ理論は、仕事の性質ごとに付加価値が高い・低いを示したものです。研究開発とか設計・デザイン、ブランディング、マーケティングといったあたりは付加価値が高くて、組み立てはあまり付加価値を生まないということです。

近年、モノづくりは「コモディティ化」とも言われるように技術的に簡単になりつつあります。パソコンや電化製品も部品を組み立てれば簡単につくれてしまうわけです。昔はパソコンをつくるのも大変だったのですが、例えば１９９０年くらいには、オウム真理教がマハーポーシャという会社でパソコンをつくって売ったりしていた。あるいは、台湾の小さな会社でもパソコンをつくれるようになった。そうすると、パソコンを組み立てる仕事はあまり付加価値を生まないということになるわけです。

　逆に付加価値の高い研究開発、設計・デザイン、ブランディング、マーケティングにだけ集中していた会社の代表が、アップル社です。アップル社は自前の工場は基本的にありません。大雑把に言えば、日本から部品を買って中国の工場で組み立てる生産方式をとっていて、まさに頭脳資本主義の波に乗っていました。逆に、日本企業のように部品を提供しているだけだと、あまり儲からないことになるわけです。

　それと関連して言うと、これからあらゆる産業がＩＴ産業化し、あらゆる企業がＩＴ企業化するという変化が起きてくるでしょう。例えば「フィンテック（金融に先端技術を導入すること）」が普及し、金融業のＩＴ産業化が進んだ結果起きているのは、銀行におけるシステムエンジニアの増加です。

　さらにこの変化が進めば、銀行員はシステムエンジニアばかりになってしまって、ほとんどのサービスはＩＴで事足りるようになるわけです。このようにＩＴ化しないと企業は生き残れないわけですが、モノづくりに比べてＩＴを苦手とする日本企業は不利になるだろうと考えられます。

　よく言われるように日本の自動車産業も今後は競争の優位性を失う可能性が高いと考え

られます。その要因の一つが、自動車産業のＩＴ化です。要するに、自動運転車の時代は、ＡＩが自動車をコントロールするようになるわけです。すると、その頭脳であるＡＩ部分を提供する会社やＡＩ部分が載るＯＳを提供する会社が儲かることになる。最近注目されているアメリカのエヌビディアという会社は、まさにこの自動運転車の頭脳部分をつくっています。

しかもエヌビディアは最近メタバースにも進出し、「オムニバース」というメタバースを開発するためのプラットフォームも提供しているので、これからさらに会社として成長するでしょう。

こうして車の頭脳部分やＯＳ部分をつくる会社の業績が伸び、外側のハードウェアをつくる会社の業績が下がるという構図は、パソコン業界のこれまでの趨勢《すうせい》ととても良く似ています。パソコンもまた、ＯＳをつくるマイクロソフトの業績が上がり、外側のハードウェア部分をつくる会社の業績は下がっていったわけです。

しかも電気自動車（ＥＶ）の時代になると、部品の組み立てがもっと簡単になり、部品のそもそもの数も少なくて済むようになる。ガソリン車の時代には、たくさんの部品を、部品同士の相互の影響関係を複雑な考慮しながら組み立てなければならず、日本の企業はその際に必要となる「すり合わせ技術」を得意としました。

しかし、ＥＶ車の時代になると、その優位性も失われることになります。つまり、自動運転車の時代の到来とＥＶ化という二つの変化によって、日本の自動車産業は優位性を失うと考えられます。

しかも製造業において日本が他国よりも優位なのは、自動車産業ぐらいなので、その優位性が失われたら、日本経済の衰退はさらに進むでしょう。あとはＩＴの世界でもっと頭脳を使って稼ぐしかなく、頭脳資本主義に日本企業が対応できるような力をつけていくことなしには、日本企業の没落は避けられないと思います。

実物財の世界における頭脳資本主義の未来がこのように描けるわけですが、一方のメタバースの経済もクリエィティブ・エコノミーであり、やっぱりクリエイティブな頭脳を必要とします。

すでに述べたように、実物財の世界では、アイデアを出す人を含む「クリエイター」と資金を出す「資本家」の両方が重要ですが、デジタル経済のほうでは、資本財がほとんど必要ないので、さらにクリエイターにとって有利です。つまり頭脳資本主義が純粋に当てはまるのが純粋デジタル経済であり、メタバース内の経済であると言えます。

そこでは、デザインできる人が圧倒的に有利であり、他にメタバース内でいろいろなイベントが行われることを考えると、イベントをプロデュースできる能力のある人、面白いアイデアを出せる人などが活躍する世界になっていくと予想されます。結局のところ頭脳を持っている人が重宝されるということです。

こんなふうにメタバースの普及によって、頭脳資本主義は加速します。ＡＩによって頭脳資本主義が到来すると私は以前から述べていたのですが、メタバースはそれをますます加速させるわけです。

雇用と格差はどうなるのか

頭脳資本主義が本格的に到来した近未来において、雇用と格差はどうなるかを考えてみたいと思います。私は拙著『人工知能と経済の未来』などで、ＡＩ技術の普及によって格差は拡大すると主張してきたのですが、メタバースの普及によって、その格差はさらに広がるだろうと考えています。

もともとクリエイティブ・エコノミーの到来を論じたのは、「雇用の未来」という論文を書いたマイケル・Ａ・オズボーンさんでした。日本では森永卓郎さんが「１億総アーティスト時代がやってくる」と表現しました。

この言葉には喜ばしいイメージがあるようですが、森永卓郎さん自身は必ずしもそう思っていません。それはすなわち、1億総アーティスト時代の社会が、所得の面では劣悪な社会だという話です。

一般的な職業の所得分布は、図5のように山が一つだけある釣り鐘型で、山をなす中間所得層は分厚く、低所得層と高所得層は比較的少なくなっています。ところがクリエイティビティ系の職業の所得分布は図6のようにロングテール型で、年収10万円以下というような低所得層がいちばん分厚くて、中間所得層が少ない。高所得層はもっと少ないという形をしています。極端といえば極端ですが、今でもミュージシャンや芸人の世界はこのようになっています。

図7を見るとわかるように、男性の所得分布はクリエイティビティ系の職業の所得分布に近づいてきてしまっています。中間所得層が没落して、山が一つではなく二つになり、しかも間の谷がえぐれ続けているのです。

高所得層は増えていますが、低所得層がそれ以上に増えている。図6のような所得分布に近づくことは、もともとAIの普及でもたらされる未来として私は予想していました。

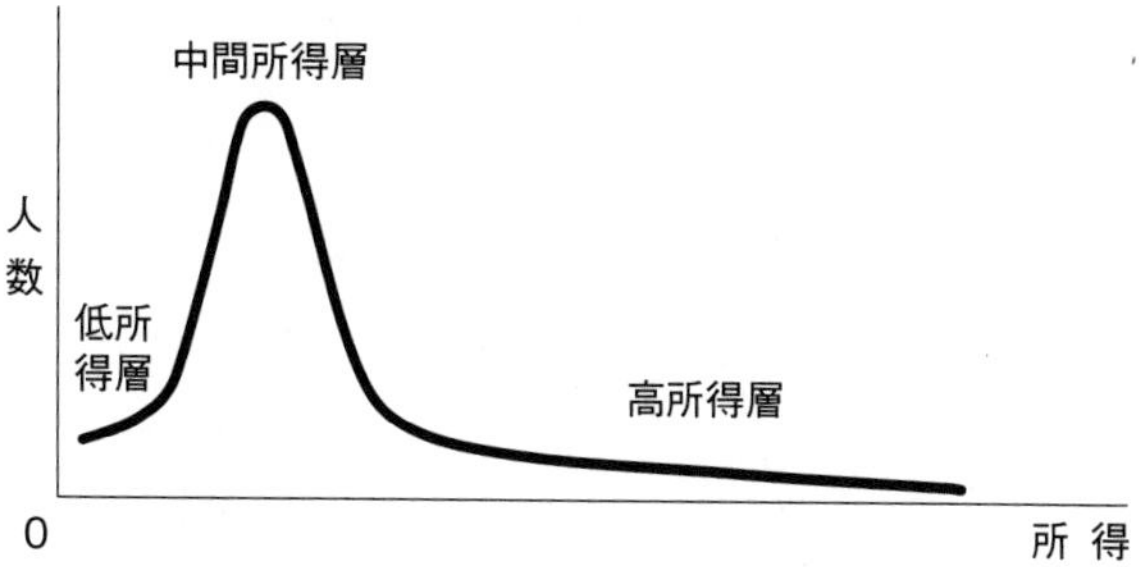

図5　一般的な職業の所得分布（釣り鐘型）

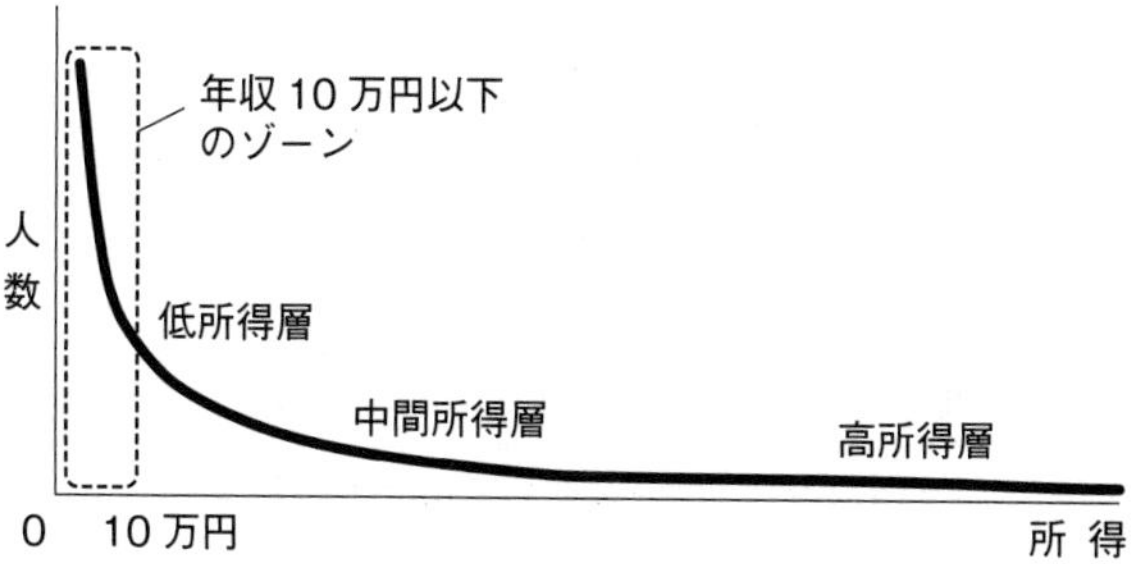

図6　クリエイティビティ系の職業の所得分布（ロングテール型）

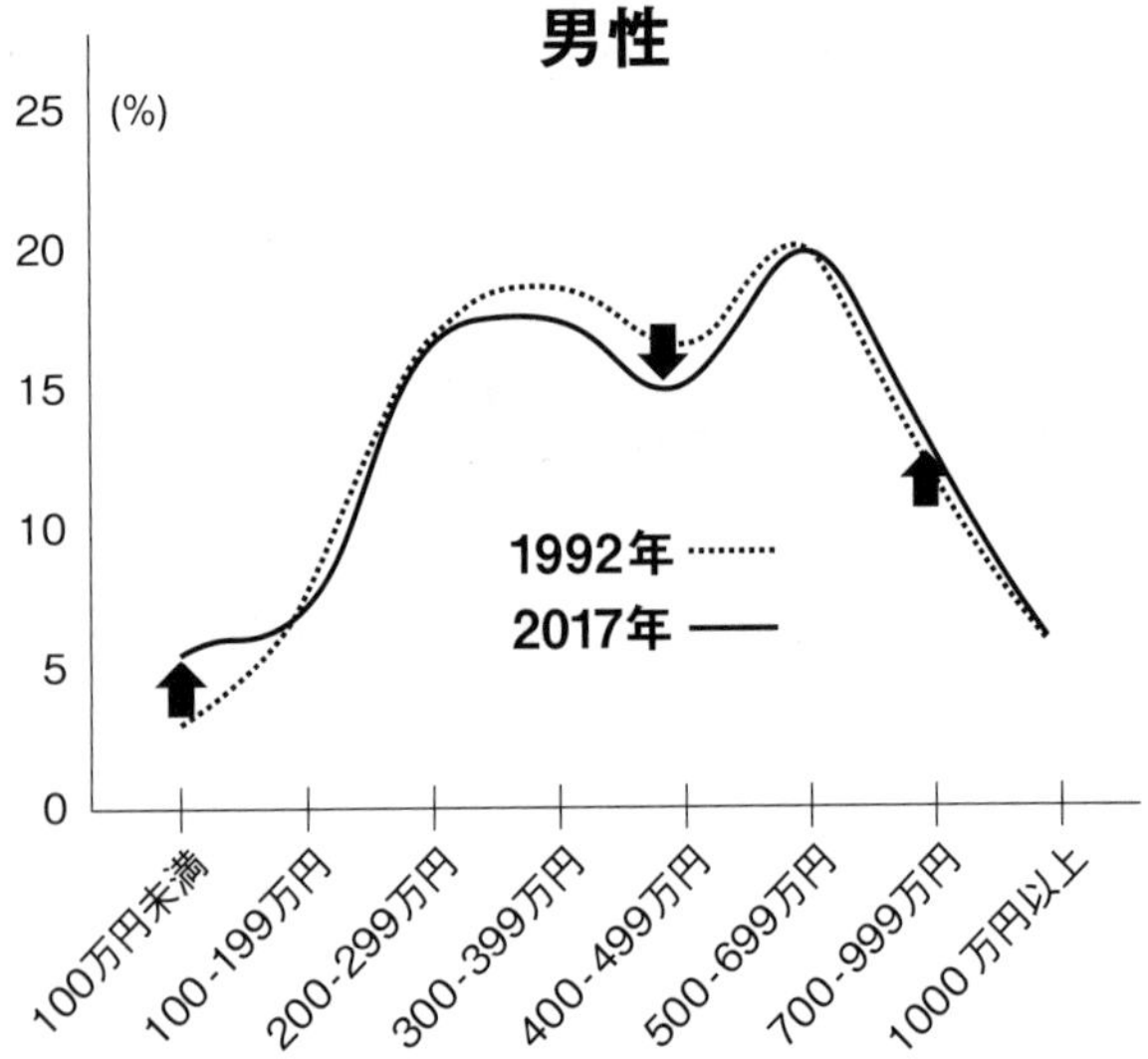

（出所）総務省「就業構造基本調査」を基に作成。

図7　所得階級別の割合変化（60歳未満）

メタバースが普及すると頭脳資本主義が加速するので、所得分布の悪しき変化がさらに速まる可能性があるわけです。

私はＡＩ時代には国民全員に生活に必要な最低限のお金を給付する社会保障制度である「ベーシックインカム」が必要だと従来から唱えていましたが、メタバースの普及によってますますベーシックインカムがないと生活できなくなると思っています。誰もが頭脳を発揮して稼げるわけではないからです。

ただし、メタバース内で遊ぶ分にはそれほどお金はかかりません。例えばアバターの洋服を100着もっているような人もいますが、1着500円程度であれば合計5万円しかかかりません。物理的な洋服数着分の値段なのです。もっと言えば、実空間とは違って洗濯の必要はないので、毎日洋服は同じだっていいわけです。メタバース内でぜいたくせずに、最低限の遊びをするだけなら全然お金はかからない。

さらに、この後述べるようにメタバース内のバーチャルオフィスに勤務するならば、わざわざ家賃の高い東京に住む必要はなく、家賃の安い地方に住んでも構わないはずです。「だから、ベーシックインカムの支給額は少なくていい」と主張したいわけではありません。そうではなく、仮に財源がそれほど確保できなくて支給額が少なかったとしても、工夫次第で最低限の生活が営めるような時代になるだろうと言いたいだけです。

地域格差がなくなる

バーチャルオフィスが整備されれば、理屈の上ではオフィスビルも通勤ラッシュもなくなり、朝起きたらVRゴーグルをかぶるだけで瞬時に出勤できるようになります。「はじめに」でも述べたように、コロナ危機下でオンライン会議が盛んに行われました。その延長上に想定されるのがバーチャルオフィスです。

バーチャルオフィスには、実際の業務スペースは構えずに、住所や電話番号だけを借り受けるという意味もあります。しかし、ここでいうバーチャルオフィスはそれとは違い、仮想空間のなかで、アバターが実際に業務的なコミュニケーションができるような仮想オフィスのことを指します。

こうしたバーチャルオフィスでは、Ｚｏｏｍのようなオンライン会議とは違って、近い人同士では声がクリアになったり、遠くの人の声はぼんやりと聞こえたりというような空間性や距離感まで表現できることが求められます。

１章でも紹介したように、メタ社は、ホライズン・ワークルームというバーチャル会議室をすでに提供しています。こういうビジネス用途に特化したビジネス系メタバースも流行るきざしがうかがえます。

「メタライフ[7]」という一昔前のＲＰＧゲームのような絵柄のメタバースを私はゼミ生と打合せの際に使ったこともあります。バーチャルオフィスとして簡単に使うことができて、他の人のアバターが近くに来るとＺｏｏｍのような画面になって会話することができます。

バーチャルオフィスが常態化することは、地域格差の解消にも一役買うことになるかもしれません。コロナで郊外や地方に引っ越す人が増えましたが、メタバースはそれを劇的に加速する可能性を持っています。

私のゼミでは地域再生を研究テーマに選ぶゼミ生が多いのですが、学生のプレゼンテーションを聴くたび、地域再生が何とも苦しい戦いであることを実感します。いくら地域振興を試みても、なかなか東京近郊から人は動かないからです。一番の理由は、都市部の方がたくさん仕事があって所得が高いからです。所得の多い都道府県のベスト3は、東京都、神奈川県、千葉県の順で、いずれも首都圏でしょう。

もちろん、地方にも金沢のように観光資源に恵まれているところもあれば、名産品があって所得が高い地域もある。そういう地域は大いに町おこしをすればいいし、実際できるでしょう。しかし、特に何のウリもない地域もあるので、「どんな地域にもウリはある」というのは綺麗ごとにすぎません。

そもそも都市部のほうが所得が高くなるのは、「頭脳の集積効果」が得られるからです。すなわち、頭脳を持った人々が集まって交流した方が新しいアイデアなどが生まれて、新しいビジネスが展開しやすくなるのです。

シリコンバレーやシアトルがその典型です。ＩＴ企業だったら地方に住んでもネットを介して仕事のやり取りができそうなものですが、ＩＴ企業こそがわざわざ賃料の高いシリコンバレーやシアトルに居を構えています。それは、似たような志を持った起業家どうしが、ワインパーティーやＢＢＱなどを通じて情報を密に交換することによって、新しいビジネスのアイデアが生まれてくるからです。

ただ、オンライン会議の普及で、気心が知れるとあとは離れていてもアイデアの交換ができることがわかってきました。さらにバーチャルオフィスが発展すれば、ますますアイデアの交換が遠距離でも可能になっていくでしょう。

そうなれば、郊外どころか、地方に住むことのインセンティブは高まります。いつもは地方に住んでバーチャルオフィスで仕事をして、月に1、2回はリアルに人と会う。そういうワークスタイルが広がっていく可能性があります。

私は以前から、一極集中を解消して「多極集中」へ向かうべきだと主張しています。安全保障という点で、一極集中は脆弱《ぜいじゃく》です。現状では、東京に一発でも核ミサイルが飛んできたら、日本は壊滅状態に陥ります。一方で、人間はまとまって住んだほうが効率がいい。点在するようなかたちで住むと、インフラの整備にコストがかかってしまうのです。

ですから、各県のそれぞれの県庁所在地や中心的な都市になるべく集まって住むのがいいと思います。そうすれば、それぞれの県が発展できます。そういう状況を私は多極集中と呼んでいるのです。そして一極から多極への流れを引き起こす切り札が、メタバースだということになります。

メタバースで地球温暖化を防げるか？

さて、これまで資本主義をめぐっていろいろな問題を議論してきました。ここでメタバースで地球温暖化は防げるか、という問題について考えてみたいと思います。資本主義的な経済成長がこのまま続くと、地球温暖化などの環境問題が深刻化し、世界はカタストロフィ（大きな破局）に見舞われるのではないかという話はいろいろな文脈でなされています。

ＳＤＧｓ（持続可能な開発）というヴィジョンが流行する一方で、「ＳＤＧｓは大衆のアヘン」であり、そんな生易しいものではこの温暖化はとめられないと言う斎藤幸平さんのような人もいます。斎藤幸平さんの論は多岐にわたっているのですが、そのコアは経済成長とCO_2増大のデカップリングが不可能というところにあると思います。

ただ、私はこれには異論があります。斎藤幸平さんと対談した際にご本人にもお伝えしましたが、実は日本では、省エネ技術の進歩などによって、一人当たりCO_2排出量は、コロナ危機以前からすでに減少しつつあったので、デカップリングは可能になってきてはいます。

それでも、デカップリングの速度が遅ければ、十分には気温上昇を食いとめられない可能性もあります。もっと抜本的に変化を遂げなければ破滅的なカタストロフィが起きてしまうかもしれない。そこで斎藤幸平さんは大量生産・大量消費をやめるべきだと主張されていて、確かに不必要なものはつくらない経済の方がいいとは私も思っています。

しかし、そもそも経済成長は大量生産・大量消費を肥大させていくことを意味しなくなっている現状があります。日本ではＧＤＰに占める工業の割合はもはや2割程度で、7割以上がサービス業です。

サービス業でも、旅行で車やジェット機に乗ればCO_2を排出しますが、それでもトータルで見ると、工業に比べてCO_2排出量はかなり少ないと言えます。だから、サービス業が拡大するということを考えると、経済成長イコールCO_2排出の増大とはならない可能性があります。

さらに付け加えると、旅行もメタバース内で行うというような「反交通革命」が起きると、ますますCO_2排出量は少なくなって地球温暖化が抑制されるでしょう。

　また、ブロックチェーンは、マイニングに電力を食うので「地球に優しくないブロックチェーン技術」と悪口を言われています。しかし、「メタバース＝ブロックチェーン」というわけでは全くないので、ブロックチェーンが多大に電力消費するということがメタバースを否定する理由にはなりません。それに、世界のマイニングによる電力消費の40％が既に再生可能エネルギーによってまかなわれています。

　さらに、ビットコインなどで使われていたマイニングを必要とする「プルーフオブワーク」という方式に代わるものとして、マイニングを必要としない「プルーフオブステーク」という方式のブロックチェーンを導入することで、電力消費量を劇的に減らすことができます。技術で解決できることは多いと言えるでしょう。

加速主義か減速主義か

　斎藤幸平さんのように、地球温暖化を防ぐために経済成長はやめましょうという主張は一部で流行しています。斎藤幸平さんが唱えているのは「脱成長コミュニズム」で、「経済成長はやめましょう」という脱成長の思想と、アソシエーションがこれまでの株式会社に取って代わる「アソシエーショニズム」の思想が融合したものです。

脱成長の思想は、「減速主義」と言い換えることもできます。一方で「加速主義」という言葉があって、これは資本主義のダイナミズムをもっと加速させていこうという考えです。その主張には問題があると思いつつも、私は一応加速主義者を名乗っています。その理由は、例えばメタバースが地球温暖化を防ぐような鍵を握っている可能性があるならば、その未来に積極的に飛び込んでいったほうがいいと思うからです。

ＡＩの普及も危険性をはらんでいるのは重々承知ですが、アメリカも中国も、他国はみんな加速主義です。日本だけが減速主義でいると、どんどん日本の国力が弱くなり、この国が他国に支配されたり侵略される危険性が高まります。安全保障上のことを考えても減速主義には問題があるというわけです。

左翼の人たちは「自分の国が立派になっていくことを喜ぶその心根がけしからん」と批判するかもしれないのですが、私自身は日本という国を捨て切れない。英語もできないので。それゆえに加速主義にならざるを得ないところがあります。もし世界中がのんびりしているのなら、こちらものんびりでいいと思えるかもしれない。しかし、世界は日本と違って加速しています。

加速主義の中には、資本主義を極限まで追求することによって、資本主義の矛盾を乗り越えようという発想が含まれています。その起源はマルクスにあるという人もいます。

すると、斎藤幸平さんのような減速主義者もマルクスをたたえ、加速主義者もマルクスをたたえ、マルクスは結局すごいという話になってきますが、個人崇拝は危険なのでほどほどにしておいた方がいいと思っています。

それはともかく、私自身も資本主義の矛盾を乗り越えるには、資本主義を極限まで追求する以外ないと思っています。ソ連邦が崩壊した以上、資本主義のオルタナティブはあり得ないと考える「資本主義リアリズム」という立場があります。

これは最近、自殺したマーク・フィッシャーというイギリスの思想家・批評家が『資本主義リアリズム』（堀之内出版）という本の中で唱えている立場で、要するに「資本主義に出口なし」というわけです。

ちなみにマーク・フィッシャーは「アシッド・コミュニズム」という思想も展開しています。アシッドというのはＬＳＤのことで、ＬＳＤの幻覚を思わせるような幻想的な、アシッド・ハウスという音楽のジャンルもあります。

ヒッピーが大麻とロックで資本主義を乗り越えようと考えたのと同じように、フィッシャーはＬＳＤやエクスタシーのようなドラッグを摂取して、アシッド・ハウスやテクノを流しながら一晩中踊り続けるような「レイブカルチャー」によって資本主義からの脱出の糸口をつかもうとしていたのです。

正直そんなことで資本主義を乗り越えられるわけはないと思っているので、アシッド・コミュニズムは支持できないのですが、私自身もまた資本主義リアリズムの考えを持っています。

つまり、現在においては資本主義のオルタナティブはないと思っているわけです。ただし、資本主義の出口は未来にはあるかもしれません。例えばＤＡＯが社会主義者のいうアソシエーションに近いということが仮に事実だとすると、資本主義を先へ先へと進めていかないと出口はないという思想と整合的です。

雑誌『現代思想』で加速主義の特集が組まれたときのキャッチコピーが「未来への〈脱出〉」で、加速主義の意味するものはまさにそれだと思うわけです。私自身は資本主義を打ち倒すということにそれほど興味はないのですが、ただ、未来の方向に資本主義の出口があるという発想自体は面白いと思っていて、少なくとも資本主義の欠陥を減らすことができるのではないかと考えています。

そういうわけで私は、科学技術の進歩と資本主義のダイナミズムを加速させるという加速主義者の立場をとっています。さらにいうと、私は「反緊縮加速主義」という思想を提唱しています。これは、政府がお金をばらまいて景気をよくすることによって経済成長を加速させ、シンギュラリティを目指して驀進《ばくしん》しようという考えです。

この場合のシンギュラリティは、ＡＩが人の知能を超えるという話ではなく、ＡＩがある程度発達するとともにベーシックインカムが導入されて、「脱労働社会」、つまり人があくせく働かなくて済むような世界が到来することを意味しています。そのためにはもっと科学技術が進化して資本主義も高度化する必要があるでしょう。

注

（１）ＰａｙＰａｙ　ＱＲコードなどを読み取ることで買い物ができるモバイル決済。コンビニや飲食店で使用可能なほか、公共料金の支払いが可能で、家族や友人に残高を送ることもできる。

（２）ＬＩＮＥ Ｐａｙ　ＬＩＮＥユーザーが使用可能なモバイル送金・決済サービス。ＬＩＮＥ Ｐａｙ加盟店での支払い、ＬＩＮＥの友だちへの送金が簡単にできる。ＬＩＮＥ Ｐａｙ残高はチャージ可能。

（３）Ｍペサ（M-Pesa）　２００７年にケニアの通信企業サファリコムが立ち上げたモバイル決済

プラットフォーム。スマートフォンなどを利用した非接触型決済（端末にかざすだけで決済が完了する）で、アフリカ大陸を中心に利用者は４０００万人超。

（４）ＤｅＦｉ（Decentralized Finance）　銀行や証券会社、証券取引所のような中央管理者を介さない「分散型金融」で、ブロックチェーン上で構築できる金融サービスなどがこれにあたる。余分な仲介手数料がかからず、居住地域に関係なく利用できるなどのメリットがある。一方で銀行のような「中央集権型金融」をＣｅＦｉ（Centralized Finance）という。

（５）コインチェック事件　２０１４年に運用開始された仮想通貨「ＮＥＭ（ネム）」が、18年にハッキングによりコインチェックから流出した事件。

（６）アルファ碁（AlphaGo）　囲碁の人工知能で、深層強化学習という技術が用いられている。２０１６年に当時の世界最強棋士であったイ・セドル九段を破り、話題に。

（７）メタライフ（MetaLife）　学研ホールディングスのグループ会社、ベンド社によるバーチャルオフィスとして利用可能なメタバース空間。「みんなと集まる」がコンセプト。

6章　人類が身体を捨て去る日　メタバースの先にある未来

前章の最後で、加速主義という思想について説明しました。科学技術の進歩と経済成長のスピードを高めていこうという考えです。このまま科学技術が進歩していった場合、メタバースはどうなるのでしょうか？　この章ではメタバースの進歩の先にある未来について論じていきたいと思います。

２章の最後で、人類は自然たる動物であることをやめたがっているのではないかという話をしました。そうであれば、科学技術の進歩によって可能になり次第、この不自由極まる生身の身体を捨て去ってデジタルな存在になっていこうと人々は考えるでしょう。

「人類が身体を捨て去る」などというと大げさな表現に聞こえますが、内閣府の「ムーンショット目標」には、「２０５０年までに、人が身体、脳、空間、時間の制約から解放された社会を実現」とメタバースについて書かれています。

そこでは「サイバネティック・アバター生活」という、メタバース内のアバターが生活の中心になっていく構想が描かれています。

実際に、その構想通りになるか否かは別にして、人類が仮想空間で生きるようになるとか、はたまた人類の存在自体がデジタルになるというようなＳＦめいた話は、それほど特殊なものではなくなってきました。しかし、一体本当にそんなことが可能なのでしょうか?

第五次産業革命とWeb4・0

その準備として「第五次産業革命とWeb4・0」というお話をしましょう。

図1で表されているように、今までに、第一次産業革命、第二次産業革命、IT革命である第三次産業革命があり、これからAI革命である第四次産業革命が起こり、その後、第五次産業革命が続きます。これらのうち、第三次以降は第五次まですべて情報革命だろうと考えられます。

それどころか、未来に起こる産業の劇的な変化は、全て情報革命だとすら言えるかもしれません。

情報革命は、こうした情報の永続的な革命に比べれば、工業革命なんかは生易しい変化です。それは生命であるはずの人類が生命としての生身の肉体から解き放たれるかもしれないからです。

第四次産業革命もまだこれからという現段階では、第五次産業革命について論じている人はほとんどいない状況ですが、この二つの何が異なるかというと、それぞれの核となる

	工業革命		情報革命			
	第一次	第二次	第三次		第四次	第五次
汎用目的技術	蒸気機関	内燃機関、電気モータ	コンピュータ、インターネット		AI、ビッグデータ、IoT	汎用AI、ブレインテック
			Web1.0	Web2.0	Web3.0	Web4.0
コンセプト			単方向	双方向	分散	リアリティ
デバイス			パソコン	スマホ	スマートグラス	BMI
コミュニケーション			ホームページ	SNS	メタバース	メタバース(フルダイブ)
データ			テキスト	画像・音声・動画(視覚・聴覚)	空間(モノ全て)触覚	味覚 嗅覚

図１　産業革命の変遷

技術の相違です。

　第四次産業革命の核にあるのは通常のＡＩですが、第五次産業革命では様々なタスクをこなせる人間並みの知能を持った汎用ＡＩがいよいよ登場することが予想されます。私は汎用ＡＩの出現は２０３０年頃になるだろうという見立てを、２０１６年出版の『人工知能と経済の未来』という本に書きました。

　一時期、その見立ては楽観的過ぎたのではと疑ったこともありましたが、最近のＡＩ技術の動向を見ているとやはり実現するのではないかという気がしています。

　ただ、技術というものは出現してから利用されるようになるまで、10年から15年の歳月がかかるのが常なので、仮に汎用ＡＩが２０３０年ぐらいに出現したとして、実際の普及は２０４０年から２０４５年ぐらいになるのではないかと見ています。

これは、2045年にシンギュラリティが発生するというレイ・カーツワイルさんの予想と直接には関係ないのでご注意ください。私はAIが人間の知性を追いこすと主張したことはなく、とりあえず「汎用AIができました」という時点から延々と人間に近づける作業が続くものと思っています。

汎用AIの実用化

今あるAIは特化型AIといって一つのタスクしかこなせませんが、人間は事務作業も、料理も、人とのおしゃべりも、将棋もできるといったように、いろいろなタスクをこなすことができます。そういった様々なタスクをこなせる汎用的なAIをつくることが、AI研究者の追い続けてきた夢です。

汎用AIは、汎用ロボットではないので、料理や掃除をやってくれるわけではないのですが、「うちの会社のホームページを作って」とか「自動車産業に関する最新の動向を2000字くらいにまとめて」というように指示すると、立ちどころにやってくれるでしょう。

このような汎用AIの実現を目指す研究開発には、人間の脳を真似る方向性があり、これはさらに二つのアプローチに分けられます。

まず一つ目が「全脳アーキテクチャ[1]」といわれるものです。人間の脳には前頭葉、海馬、小脳などいろいろな部位がありますが、部位ごとの機能を果たすソフトウェアをつくり、あとで結合させて、人間の脳と同じような働きをするものをつくろうとするアプローチです。全脳アーキテクチャ・イニシアティブという日本で立ち上げられた非営利団体はこのアプローチをとっています。

２０１６年に始まるＡＩブームの際に、このような汎用ＡＩ実現への期待が一部で高まりました。不可能だという批判も多くなされたものの、私はこのアプローチを推進していた全脳アーキテクチャ・イニシアティブの中の人たちと関わりを持っていたこともあり、期待を寄せていました。しかし、資金が不足して、研究が思うように進んでいないのが現状です。

もう一つ、「全脳エミュレーション[2]」というアプローチが考えられます。これは、なんらかの形で人間の脳全体をスキャンして、神経系の構造を自動的にソフトウェアに置きかえるような技術によって、人間と同じように振る舞えるＡＩを実現するものです。このアプローチでは人間の脳のそれぞれの部位がどういう機能を果たしているのかを分析する必要がありません。

人間の脳には約１０００億のニューロン（神経細胞）があり、ニューロンとニューロンをつなぐシナプスが約１００兆あります。その神経系の構造は局所的には単純で、図2のようにニューロンが発火すれば1、しなければ0などと数学的なモデルに落とし込めます。こういうモデルを「ニューロンモデル」と言います。ニューロンモデルを複雑に組み合わせて、神経系の構造をソフトウェアとして人工的に模倣したものが「ニューラルネットワーク[3]」というＡＩ技術です（図3）。

研究者によって見解は分かれますが、この構造自体をソフトウェアとして真似てしまえば、人間の知的振る舞いをそっくり真似られるという考え方がわりと主流になってきています。この構造を形作るハードウェアが生命のようにたんぱく質であろうが、コンピュータのようにシリコンチップであろうが、どちらでも構わないというわけです。

ただ、後述するようにこの「全脳エミュレーション」は簡単には実現できないというのが大方の見通しで、多くの研究者はあと１００年くらいかかると予想しています。

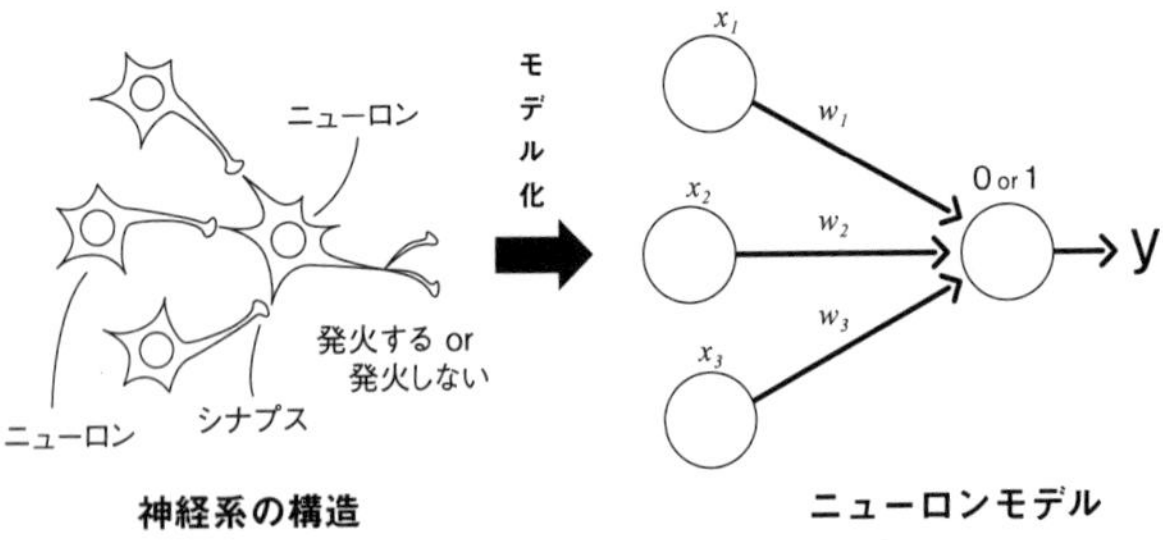

図2　神経系の構造をモデル化

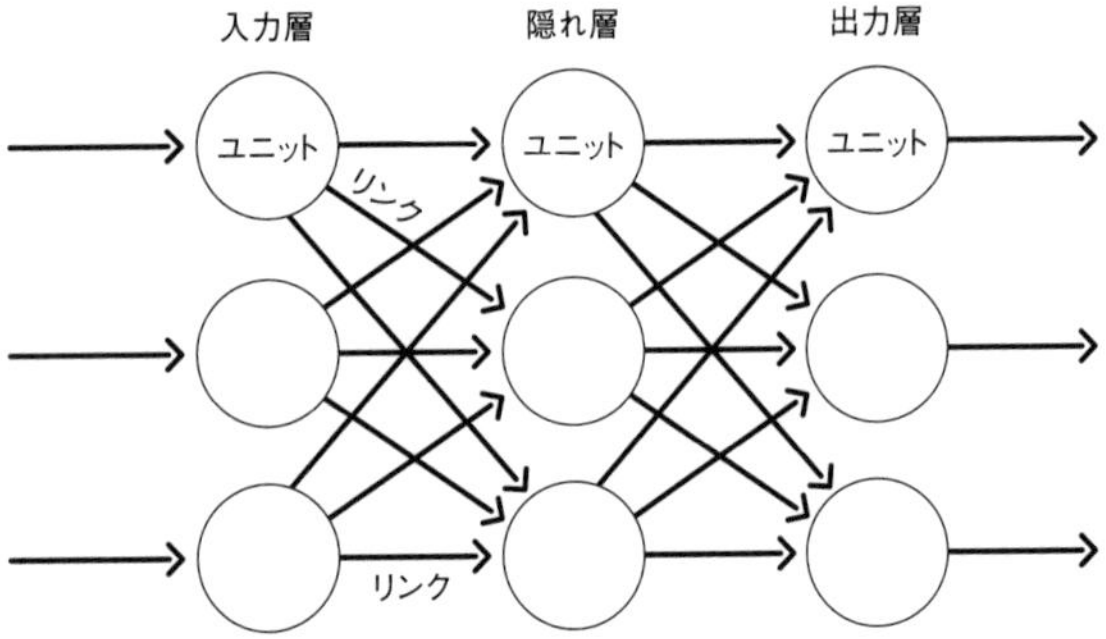

図3　ニューラルネットワーク

実現しつつある工学的アプローチ

資金面の制約で日本における全脳アーキテクチャの研究は思うように進んでいない、全脳エミュレーションの実現は１００年後となる。そうであれば、汎用ＡＩの実現にはまったく近づいていないようにも思われますが、実はそうでもありません。

ここまでは人間の脳に学ぶというアプローチでしたが、この方向性以外に、工学的なアプローチもあり得ます。空を飛ぶのに鳥の羽ばたきを真似ようというのが、脳に学ぶアプローチに相当しており、鳥の模倣をする必要はなくてとにかく飛べればいいというのが、工学的なアプローチに相当しています。実際の飛行機は、鳥のように羽ばたいておらず、工学的アプローチをとっています。

汎用ＡＩの実現には脳を模倣する必要はなく、とにかく汎用ＡＩが実現すればいいと考える工学的なアプローチが、今では主流になっています。

ただし、この工学的アプローチは膨大なデータを処理し得る超ハイスペックなコンピュータを必要とします。そのため資金力のあるアメリカや中国の巨大ＩＴ企業・研究組織が先行し、日本は大きく後《おく》れ[4]を取っています。

２０２０年にＯｐｅｎＡＩによって発表されたＧＰＴ－３[5]というＡＩが、工学的アプローチによる華々しい成功例の一つです。ＯｐｅｎＡＩは、テスラ社ＣＥＯで世界一の資産家であるイーロン・マスクさんをはじめとする複数の投資家により設立されたアメリカの非営利団体で、汎用ＡＩの実現を目指している研究組織です。

ＧＰＴ-3は「言語モデル」というＡＩの一種で、これはある言葉の次にどのような言葉が出現するのかを予測する統計的なモデルです。例えば「本日は」と来たら、続く言葉は「晴天なり」とか「お日柄もよく」といったところでしょう。言語モデルでは、「晴天なり」が20%、「お日柄もよく」が15%という具合に、確率的に表現されています。

ＧＰＴ-3は、例えば人間が文章を2、3行書くと、それに続く文章を勝手に肉付けしてくれたりします。

なので、何か与えられたテーマに沿って簡単なレポートを書くというようなタスクなら、一瞬でできてしまう可能性があります。さらに驚かされるのは英語や日本語のような、プログラム言語ではない普通の言葉で指示を与えることによって、Ｗｅｂサイトやプログラムを丸ごとつくれるということです。

私はシステムエンジニアの仕事をしていてプログラミングで苦労することが多々あったので、指示を与えるだけで開発できるというのは魔法のように感じられて驚愕《きょうがく》します。こんなものが進歩して普及したら、プログラマーは必要なくなるのではないかと心配になりました。

人がＧＰＴ－３とチャットで対話をしていて、しばらく相手がＡＩであることに気づかなかったという話もあります。人間よりも会話のスピードがやたら速くて不自然なので途中で気づいたそうですが、このエピソードからもかなり人間の知能に近づいてきているのは確かだと思います。

そうはいっても、この高度に思えるＡＩであっても、統計的な処理をしているだけで、人間のように意味を理解しているわけではありません。

だから、人間のような常識は備わっておらず、「あなたの頭に花は咲いていますか？」というようなナンセンスな質問が投げかけられると、とんちんかんな答えを返してきます。

ただ、この方面の研究はかなり盛んで、グーグルも同様のアプローチで技術革新を進めています。グーグルが２０２２年に発表した言語モデルである「ＰａＬＭ《パーム》[6]」は、ユーモアを理解する「万能ＡＩ」と言われています。

このＡＩは算数の文章問題が解けたり、計算式の意味を説明できたり、自動翻訳ができたりします。さらにＧＰＴ－３と同様にプログラムをつくったり、プログラムのおかしな箇所を自動で修正できたりもします。

さらに、普通の人には理解しがたい高度なジョークの意味までわかりやすく説明することにも成功しています。したがって、人間以上に文脈を理解する高度な能力が備わっていると言えなくもないのです。しかし、これも統計的処理をしているだけで、人間と同じように意味がわかっているわけではありません。

それでも、この万能ＡＩという触れ込みのＰａＬＭはもはや汎用ＡＩと言ってもいいくらいです。ただ、人間並みに幅広くなんでもこなせるというところまではいっていません。２０３０年までまだ8年あるので、それまでにはかなり手広くなんでもこなせるようになっていると思われます。

ところで、このＰａＬＭのニューラルネットワークのパラメータ数は５４００億です。世界のＡＩ開発競争は、このパラメータ数を競っている側面もあります。大雑把に言うと、ニューラルネットワークのパラメータ数は、脳のシナプスの数に相当しています。なので、パラメータ数が多ければ多いほど複雑な処理ができて、より賢い思考ができると言ってもいいでしょう。

ＰａＬＭのパラメータ数も驚くべき水準ですが、中国のＡＩ「悟道２・０」[7]は、パラメータ数が１兆７５００億に達しています。人間の脳のシナプスの数は約１００兆なので、すでに規模的には人間の脳の60分の１くらいまで迫ってきているわけです。

私はおそらく２０４０年とか45年の第五次産業革命の頃には、こういった汎用ＡＩが活躍しているだろうと予想しています。日本は汎用ＡＩの開発でも遅れているので、残念ながら第五次産業革命でも敗者になるでしょう。

汎用ＡＩはメタバースとどう関わるか

既に１章で説明したように、汎用ＡＩはメタバース内で自律的にふるまうアバター「ＡＩアバター」に応用することができます。元々ゲームには、人間が操作せずに勝手にふるまうキャラクター「ノンプレイヤーキャラクター」[8]（ＮＰＣ）がありますが、それのメタバース版をイメージしてください。

ただし、通常のゲームとは異なり、メタバース内では人間の操作するアバターが好き勝手に動いたり話したりするので、それに応じられるようなＡＩとなるとかなり高度なものになります。だから、汎用ＡＩが必要とされるわけです。

それでも既に、メタバース内で働いてくれる「ＡＩアバター」は存在します。アドバンスト・メディア社の「ＡＩ Ａｖａｔａｒ ＡＯＩ」[9]（エーアイ アバター アオイ）。しかし、これはせいぜいスマホの音声操作機能のＳｉｒｉ程度です。

もし一定程度コミュニケーションをとったり遊んだり、いろいろな仕事を任せたりしても、ＡＩの動かしているアバターが人間の操作しているアバターとほとんど区別がつかないようなレベルに達したら、そのＡＩはもう立派な汎用ＡＩと言っていいでしょう。ソロバース（ワールドの自分一人だけのメタバース空間）では、とりわけこうした汎用ＡＩが活躍するはずです。

人間関係に疲れている人はたくさんいると思います。人間は自己主張するし、自分の欲をかなえたいという利己主義的な面があるし、そのために人を傷つけることも厭《いと》わなかったりします。

２章でも論じたように、それが人間のリアルなので、生きている以上こういった煩わしさに我々は直面すべきではないかという倫理的な問題は当然あります。その一方で、仮想空間の中に入ってまで人間関係に悩みたくない人もいるはずです。

そういう人は、ＡＩアバターがひたすら褒めたり癒したりしてくれるような心地良い空間に身をゆだねたくなるでしょう。「いやあ、あなたイケメンですね」「こんな可愛い子みたことない」などと自分を褒めてくれるアバターに取り囲まれているような空間です。

恋愛シミュレーションゲームにはまっている人もいるし、キャバクラやホストクラブのように、異性がおしゃべりの相手をしてくれたり、ちやほやしてくれたりする空間が好きな人も少なくないでしょう。

「ＡＩアバターによるちやほやワールド」は、それらのメタバース版と考えることもできます。だから、ディストピアのようにも思えますし、倫理的な問題もあるでしょうが、こうした自分に都合の良いワールドの需要はかなりあると見ていいでしょう。

BMI（脳と機械を通信させる技術）

第五次産業革命の起爆剤になる汎用目的技術として、汎用ＡＩとともにブレインテック[10]が挙げられます。これは脳に関わる技術ということになりますが、代表的なのは脳と機械をつなぐ「ＢＭＩ[11]」（ブレイン・マシン・インタフェース）と、脳と脳をつなぐ「ＢＢＩ[12]」（ブレイン・ブレイン・インタフェース）です。

ブレインテックはまだブームが起きていませんが、イーロン・マスクさんが「ニューラリンク[13]」というＢＭＩの会社を立ち上げて、若干話題になりました。

そんなふうに少しずつ流行る予兆は出てきてはいるものの、ＢＭＩなどという言葉すら聞いたことがない人が大半で、おそらくＢＭＩが日の目を見るのは、第四次ではなく第五次産業革命期になるでしょう。

それでは、脳と機械を通信させる技術であるこのＢＭＩはどういったものでしょうか。それは図４のように、頭にとりつけた脳波を読み取る装置を通じて、その人の意図通りにモノをコントロールできるような技術です。

例えば、手が不自由な方が、念じるだけで機械のアームや義手を動かしてコーヒーを飲むようなことができます。他にも念じるだけでエアコンをつけられるとか、テレビのチャンネルを変えるといったことは今でもできます。基本的には念力がテクノロジーになった技術だと考えられるでしょう。

２０１４年にブラジルで催されたサッカーのワールドカップの開会式では、下半身が不自由な方がロボットスーツを身につけて、足が動かないにもかかわらず、記念にボールを蹴るというシーンがありました。

足が不自由なのになぜボールを蹴ることができるかというと、ＢＭＩ搭載のロボットスーツを着ていたからです。開発したのは、ブラジルの研究者ミゲル・ニコレリスさんです。

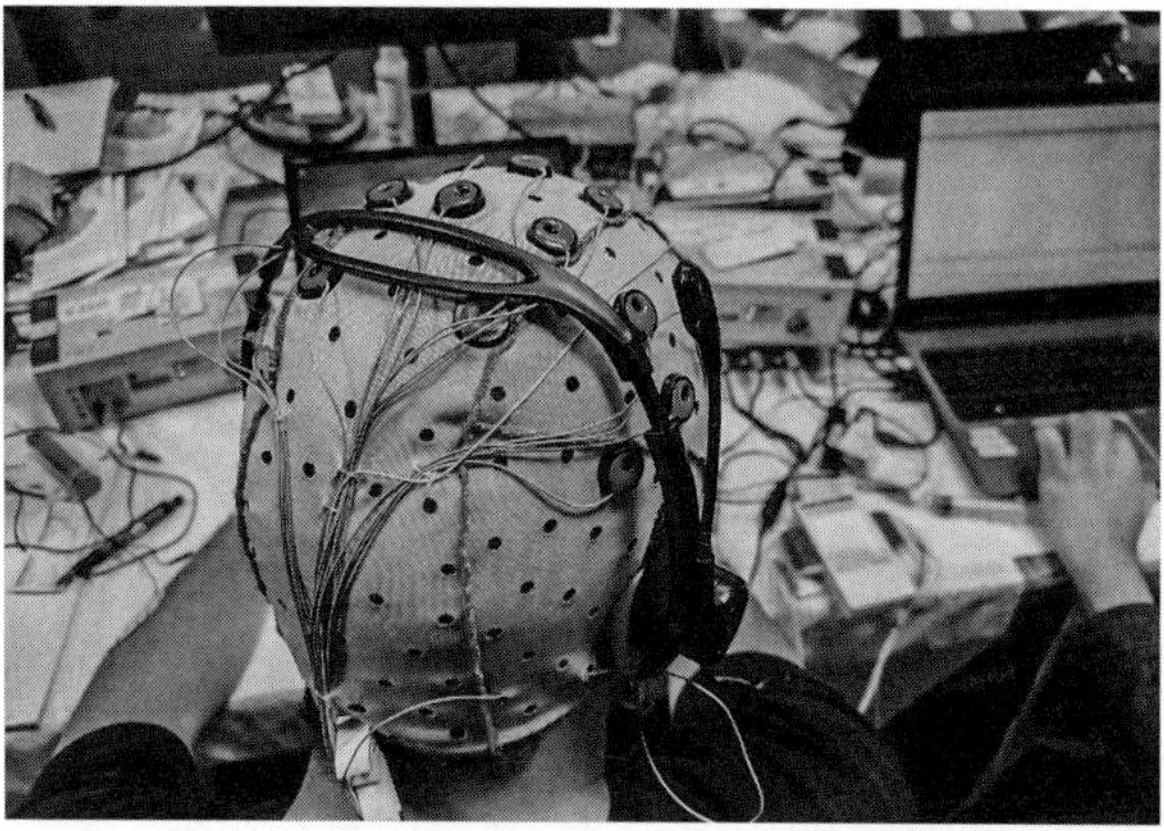

Photo by oonal/iStock

図4　脳波測定のヘッドキャップ

かなり大がかりなロボットスーツで、一般の障害者が気楽に身につけられるかというと、なかなか難しいのが現状です。

いくら8年前の話とはいえ、実用化にはまだまだ時間がかかるでしょう。しかし、BMIの装置をつけることがスマホを持つくらいに当たり前になる時代は確実にやってくると思います。

イーロン・マスクさんは、「将来的には誰もが脳に電極を埋め込む時代がきっと来るだろう」と言っています。BMIには、脳に電極を埋め込む「侵襲的」なものと、埋め込まない「非侵襲的」なものがあります。侵襲的な方が脳波を読み取りやすいので、しばらくはその方向で研究が進むはずです。脳に電極を埋め込むのには抵抗がある人が多いと思います。私も恐ろしく感じますが、いずれそうした抵抗感はなくなるかもしれません。

スウェーデンでは手にチップを埋め込む技術がそれなりに普及しています。自動改札にピッと手をかざすと、Ｓｕｉｃａのように改札を通ることができる技術です。よくよく考えると、コンタクトレンズも怖い技術ですが、私も平気で装着しています。だから、脳への電極の埋め込みも、どこかでブレイクポイントが訪れるかもしれません。

ＢＭＩは障害のある人や重い病気にかかった人にとって救いになるような技術なので、私は早く普及して欲しいと願っています。意識があるのに手足が動かせず、発話もできないような状態を「閉じ込め症候群」と言います。ＡＬＳなどの病気でその状態に陥った人は、例えばわずかに動く眼球で家族や看護師に意思を伝達しなければなりません。

しかし、ＢＭＩの技術が進めば、思ったことを機械を通じて簡単に表現することができるようになります。既に、頭の中で考えたことの文章化や、夢の内容を文章化するといったことができるようになりつつあります。ちなみに、夢の内容を画像化するという技術はまだ研究中のようです。

言葉を脳にダイレクトに伝える技術の萌芽《ほうが》も見られます。例えばアルファベットのＡや

Bの形に実際に脳の視覚野を刺激していくと、どういう文字が描かれたのかがわかるというものです。

BMIを使えば、病気などで体を動かせない人が、暇で退屈な時間を楽しく有意義な時間に変えることもできるでしょう。今でも、手を使わずにBMIでファイナルファンタジーなどのテレビゲームをプレイすることができます。その他、念力でドローンを飛ばして遊ぶというようなことも考えられます。

それでもやはり、人とコミュニケーションをしたいという欲求はあるでしょう。誰かがお見舞いに来てくれても、うまく話せなかったり、そもそもお見舞いに来た人としか話せなかったりするような限定的な状況があります。

ですが、BMIとメタバースが結合されれば、完全に身体が動かず話すことのできない人が、メタバースの世界で自由にアバターを動かして人と話ができるようになるでしょう。

健常者であっても、今のメタバースはHMDをつけないといけないし、もっと軽量化されたスマートグラス[14]やスマートコンタクトレンズ[15]などが普及するとしても、物理的な負荷は残ります。

操作するのにもコントローラーを持たなければならず、コントローラーを持っている時点で現実と同じには振る舞えない不自由な世界であるとも言えます。しかし、BMIを使えばコントローラーなしに、念じるだけでメタバースの世界を自由に動き回ることができるようになります。

さらに言うと、今のVRが刺激できるのは視覚と聴覚、がんばっても触覚ですが、BMIが進歩すれば嗅覚、味覚もダイレクトに刺激できるようになるはずです。

メタバース内でステーキを食べたらステーキの味がするといった味覚などの再現ができるようになると、もうほとんど現実の世界と変わらないでしょう。要するに、ブレインテック＋メタバースで映画『マトリックス』の世界にかなり近くなるわけです。

BBI（脳と脳を通信させる技術）

脳と機械を通信させる技術だけでなく、脳と脳を通信させる技術であるBBIもすでに研究が進んでいます。言葉を使わずに直接コミュニケーションできるような世界が到来するかもしれません。

BBIも先述のニコレリスさんの実験が有名です。2013年に南米のネズミと北米のネズミの脳に電極をつけて、南米のネズミが学んだことを、インターネットを介して北米のネズミに伝えることに成功したというものです。ＢＭＩが念力だとすると、ＢＢＩはテレパシーです。これも閉じ込め症候群の患者さんが、意思疎通するための手段になり得ます。

さらに、知識の転送もできてしまうので、受験勉強なども必要なくなるかもしれません。もしＢＢＩの技術が実現したら、アインシュタインが身につけたすべての知識が、２、３秒で脳に入ってくるというようになって、努力の意義が無効化されかねない。人間の存在意義を脅かすような技術なので、かなり注意深く考えるべきだとは思います。

人間の脳と脳を直接通信させるというこのアイデアは、遡るとデスモンド・バナールという、ＳＦめいたぶっとんだ発想が大好きな人たちの間ではよく知られている生物・物理学者に由来します。バナールは、今から１００年くらい前に出版した『宇宙・肉体・悪魔[16]』という本で、脳と脳を直接連結させて、何人もの人の脳が蟻の群れのように一つの目的に向かって動くようになる「群体頭脳」という構想を示していて、人類が一つの生命体のようになるイメージを描いています。

実はアーサー・Ｃ・クラークの『幼年期の終り[17]』というＳＦ作品にも、似たような描写があります。悪魔の姿をした宇宙人のようなものが地球人に降りてきて、実は地球人をずっと管理して育てていたと告げる話ですが、その宇宙人たちの目的とは人類が一つの生命体のようになることだったとわかってくる。そしてその目的を達成すると、宇宙人たちは「人類の幼年期が終わった」と言って去っていきます。

この『幼年期の終り』の元ネタになったのがバナールの『宇宙・肉体・悪魔』だと言われていて、『新世紀エヴァンゲリオン』[18]の「人類補完計画」は『幼年期の終り』を一つのヒントにしているらしいので、『宇宙・肉体・悪魔』は『新世紀エヴァンゲリオン』の元ネタの元ネタとも言えます。

このように人間の脳と脳を連結させるというアイデア自体はかなり古くからあるわけですが、ＢＢＩとして技術的に実現するということは、『新世紀エヴァンゲリオン』の「人類補完計画」を可能にするような技術の誕生を意味します。

これは結構恐ろしいことです。いまの私たちの常識からすれば、自分の考えていることを他人には知られたくはないでしょう。私も自分の脳を他の人の脳につなぎたいという気持ちは微塵もありません。あるべき未来像としては、たとえＢＢＩが実現されたとしても、障害のある人や病気の人が限定的に使うというような範疇にとどめるべきだと思います。

ＢＢＩは、メタバース内でアバターとアバターが会ったときに、会話をせずに意思疎通をする技術としても使えます。実空間でＢＢＩを使うとなるとそのための装置が必要となりますが、メタバースで使うには初めからＶＲデバイスにＢＢＩ装置を組み込めばいい。だから、ＢＢＩとメタバースは比較的相性がいいのかもしれません。しかし、使うべきか否かについてはかなり議論の余地があり、今のところ私は使いたいとは思っていません。

『マトリックス』のような世界になる⁉

すでに述べたように、私は、ＢＭＩ（ひょっとするとＢＢＩも？）がメタバースの世界に入るためのインターフェースとして使えるようになるのは、第五次産業革命期と思っています。第四次産業革命はそこまでは進まず、スマートグラスとかスマートコンタクトレンズでメタバースの世界に入っていくところまででしょう。これらはまた図１のようにＷｅｂ３・０におけるデバイスとして位置付けることができます。

それでは第五次産業革命期のメタバースはどのようなものになるでしょうか。もし、ＢＭＩがメタバースに入るためのインターフェースとして使えるようになると、ＨＭＤやスマートグラスのような目を覆うデバイスはもはや不要になります。

図１に示されているように、Ｗｅｂ４・０においてネットにアクセスするための主なデ

バイスが、まさにBMIということになります。メディアとしては、Web3・0期の通常のメタバースに代わって、「フルダイブ型メタバース」が主流になります。

BMIを用いたフルダイブ型になると、脳に対して仮想空間を直接投影できるので、夢を見ているような体験になるでしょう。視覚、聴覚、触覚どころか、味覚や嗅覚さえも刺激されるような、ほとんど実空間と変わらないレベルの没入感のあるメタバース体験ということになります。

この段階ではまだ物理的な肉体があるので、仮想空間に入っていくときに私たちは身体を横たえて寝ているはずですが、自分の意識は別の世界にいるかのような感じになります。自分の肉体を捨ててはいないものの、まるで捨てたかのように振る舞うことができるのです。例えばメタバース内の空を飛んでいる場合は、夢の中で空を飛んでいるのと同じような感覚です。

ただ、「あなたの物理的な肉体はどこにあるのですか」と聞かれたら、「私の身体は部屋で寝ています」と答えることができます。映画『マトリックス』では、実空間に自分の肉体があることをもはや忘れ去っているわけですが、それとは異なっています。

メタバース内に入って行く際に通常は記憶を消去するわけではないので、肉体を捨てた夢のように感じられながらも、現実の身体がどのような状態にあるかは客観的に意識できるわけです。

マインドアップローディング

さらにその先に、いよいよ物理的な肉体も捨てようというアイデアの実現が待っています。それが「マインドアップローディング[19]」で、単に「アップロード」と言ったりもします。要するに、自分の意識をコンピュータの中に入れてしまおうという発想です。

このアイデアを唱えた人は過去にも多いのですが、アメリカの発明家で未来予測家のレイ・カーツワイルさんが２０３０年頃に実現すると予測して有名になりました。そのためには、まず、すでにお話しした「全脳エミュレーション」が実現する必要があります。というのは、コンピュータ上に人間の脳と同じように振る舞えるものがないと、そもそも意識もそちらには移行できないからです。

ではその「全脳エミュレーション」はいつできるのでしょうか。実は人間よりももっと単純な構造の生物では、「全脳エミュレーション」に近いことが実現しています。「Ｃ・エレガンス」という線虫の神経系は、３０２個のニューロンと６３９３個のシナプスから成り立っていて、その構造はすでに解析できていますが、人間の場合は約１０００億のニューロンと約１００兆のシナプスからできているので桁が違います。

人間の全遺伝情報が「ヒトゲノム」であるのに対し、人間の脳の神経系のつながりを全て図面化したものは「ヒト・コネクトーム」[20]と言います。「ヒト・コネクトーム」を手に入れることが、つまり「全脳エミュレーション」の実現にかなり近づくことになると言えそうです。

「ヒト・コネクトーム」研究の第一人者であるセバスチャン・スンさんは、人類が「ヒト・コネクトーム」を手に入れるのは今世紀末という予測をしています。

そのような未来だとすると、マインドアップローディングが２０３０年に実現するのはとてもではないが無理ということになります。カーツワイルさんは、自分が永遠に生きたいがために、寿命に間に合う２０３０年までには実現させたいという願望を言っているだけだという指摘もあります。

私が大学のときに教わっていた徳田英幸さんというコンピュータサイエンスの専門家が、カーツワイルさんと対談している本（『レイ・カーツワイル　加速するテクノロジー』日本放送出版協会）では、徳田さんが「人間、いつか死ぬということが大事だ」と諸行無常的な発言をされている一方で、カーツワイルさんはひたすら「俺は永遠に生きたい」という話をしていて、日本人とアメリカ人の死生観の違いを感じざるを得ませんでした。

意識とは何か

カーツワイルさんにはさらに気の毒なことですが、マインドアップローディングはできないかもしれません。様々な見解がありますが、私は、全脳エミュレーションが実現して、自分の心と同じ機能を持つ双子のようなものをコンピュータ上につくることができたとしても、自分の意識そのものはコンピュータ上には移行しないと思っています。

自分の家族が死ぬ前に、その人そっくりにしゃべるようなＡＩをつくってくれる会社がすでにロシアにありますが、自分そっくりにしゃべるＡＩを自分だと感じられるかどうかはまた別問題です。

今でもＧＰＴ-３などを使えば、アインシュタインそっくりにしゃべるＡＩなどはできてしまいます。それは声が似ているといった話ではなく、会話している内容が「それ、アインシュタインだね」というような状況をつくれるということです。

ＧＰＴ-３などは、その人の話し方を真似ているだけで、脳を丸ごと真似ているわけではないので、その人の意識がコンピュータ上にも生まれたと言う人はあまりいません。しかし、自分の神経系の構造をすべてスキャンして、ソフトウェアとして再現したらどうでしょうか？

それでもやはり、コンピュータ上に生じるのは自分そのものではなくて双子のような存在に過ぎないと思います。それに、そもそも意識をＡＩに宿らせること自体、私は無理だと思っています。それは、意識はいかにして生じるのかという半ば哲学的な問題にかかわっています。

そもそも意識とは何かと考えると非常に難しいのですが、最近、脳科学を研究する専門家たちの間では、意識とは「クオリアを生じさせる何ものかである」という答えがひとつのコンセンサスになりつつあります。

クオリアとは、リンゴの赤色を見て「赤い」と感じるときのその感覚のことを言います。この赤という色は人間の脳が生じさせているのであって、赤色そのものがリンゴの表面にあるわけではない。

赤いリンゴの「赤さ」とは、単にある波長の光が人間の網膜から入ってきた結果、脳が我々に感じさせているものです。私の感じている赤さそのものは、実空間にはないし、科学的方法によっては直接観察できないものです。いくら顕微鏡で脳をのぞいてみても、赤さそのものは出てきません。

「クオリア」とは何かを理解するために、哲学者のデイヴィッド・チャーマーズさんが、二つの思考実験を提案しています。一つは「逆転クオリア」というものです。

これは、普通の人が見て赤だと感じるものを緑だと感じ、逆に普通の人が緑だと感じるものを赤だと感じるというように、同じ物理的刺激に対して異なるクオリアが経験される人について考える思考実験です。

この「逆転クオリア」を持っている人は、普通に生活していてもなんら支障がありません。例えば「逆転クオリア」の持ち主は緑の葉っぱを見て「ああ、赤だ」と感じていたとしても、人と会話をするうえでは「これは緑だよね」と齟齬《そご》のない言語コミュニケーションをすることになります。会話の相手と「いや、これは赤だ」「緑だ」という論争にはならないわけです。

これは、クオリアが自分以外の者には絶対に知られることのない私秘的なものであるためです。その人が、実際に緑の葉っぱを見たときに何色と感じるかは科学的にも分析不可能なのです。

もう一つは「哲学的ゾンビ」という思考実験です。これは、他の人からは全く普通の人間と変わりなく見えるが、実は痛みや赤みなどの感覚を全く持たないゾンビのような存在のことです。

見た目は普通の人間そっくりだがクオリアを一切欠いている「哲学的ゾンビ」は、リンゴを見ても実際には「赤い」と感じないものの、人との会話では「赤いよね」と言ったりするので、表向きは普通の人間とまったく区別がつきません。

あるいは、この「哲学的ゾンビ」を殴ったりすると、「痛い」と叫び痛がっているような反応をするものの、実は痛みを一切感じていません。哲学的ゾンビは、痛いかのように振る舞うことができるけれど、痛みのクオリアを享受していないのです。

ＡＩ研究者をはじめ科学者の人と話していると、クオリアなんて存在しないという人も割といます。子どもでも説明されればわかる子はパッとわかるのに、どんなに頭のいい人でもわからないことは世の中にいくつかあって、クオリアの概念もその中の一つだと言われています。

しかし、クオリアなんて存在しないというのは、人は痛みを感じないと言っているのと同じで、サイコパスめいた危険な考えです。人が痛みを感じるということは、クオリアは存在するということです。

クオリアの存在を認める多くの科学者は、クオリアは脳という物理的存在に随伴して生じると考えます。そして、そうしたクオリアを享受する何ものかが意識というわけです。しかし、そう考えるといろいろと矛盾が生じてきます。人間が生まれる過程のどの時点で意識が芽生えるのかを考えてみても答えは出ない。生まれた後のどこかの時点なのか、生まれる前の母親の胎内にいる時なのか、受精卵ができあがる前なのか後なのか。

生命進化の過程を見ても、一体どの時点で意識というものが生まれたのかはよくわからない。科学者たちの見解もばらばらで、生命進化の過程のどこかで生まれたと考える人もいれば、原子にも意識が宿ると考える人もいます。

原子にも意識があると考えると、脳に意識があるという考えと矛盾するように思えますが、脳の意識とは、身体全体にある意識の中でも強力で支配的なものであると考えることも可能です。つまり、うっすらとした意識というのは全細胞に宿っていて、もっと言えば原子の中にもあるけれど、意識のいちばんのコアは脳にあるという考えです。

機械に意識は宿るのか!?

ただ、意識に関する近年主流の見解は、神経系に関係しているというものです。神経系が意識を生じさせているのであって、神経系のない生物には意識はないだろう、というわけです。

すると今度は、その神経系が人工でつくられたものでもいいのかどうかという議論が生じてきます。ＡＩ研究者などは、人工的につくったニューラルネットワークでも当然意識があると考えるわけです。

それが正しいとすると、人工のニューラルネットワークをコンピュータのソフトウェアとしてつくり、それが人間とそっくりに振る舞うことができれば、それは人間の意識と同じであると言えることになります。

私自身は大した根拠もありませんが、意識には生命的な基盤が必要ではないかと漠然と考えています。今の科学技術では遺体に意識を宿らせることはできません。死んだらもう意識はないと考えるのが普通です。遺体ですら無理なのだから、生命でない人工物に意識を宿らせるなんていうのはとうてい不可能だというわけです。

『脳の意識　機械の意識』（中公新書）という著作のある、脳科学者で東京大学大学院准教授の渡邉正峰さんは、逆に人工物に意識を宿らせることができると主張しています。この論点について、私は渡邉さんとお酒を飲みながら何時間か議論しましたが、話は平行線をたどりました。ただ、渡邉さんが正しい可能性もあるとは思っています。

渡邉正峰さんは、脳と機械を接続して一体化すれば機械に意識が宿ると考えていて、自分がその研究の実験台になると言っていました。自分の脳を半分機械に置きかえて、自分の脳だけではわからない機械側の体験を感じることができれば、機械に意識が宿っていて自分の意識と連結したことになるというわけです。

もし実際にそれが実現可能であれば、意識をコンピュータ上に移すことができるかもしれません。渡邉さんは「将来は機械として第二の人生を過ごせる日がくる」とも言っています（朝日新聞インタビュー）。

いきなりコンピュータのほうにアップロードするというのは無理だとしても、脳を少しずつ人工物に置きかえていくことで、アップロードが可能になるかもしれません。しかし、繰り返しますが、私は今のところ、生命以外に意識は宿らないので、アップロードは永遠に不可能という立場です。

100年後の世界を予測する

マインドアップローディングが可能になった未来のさらに先の未来では、生身の人間はもはやほとんどいなくて、コンピュータ上の人工生命体だけがうごめく世界が到来すると予測している人もいます。

ジョージ・メイスン大学経済学部准教授のロビン・ハンソンさんが5年くらい前に書いた、『全脳エミュレーションの時代　人工超知能EMが支配する世界の全貌』(上下、NTT出版)という本があります。SFではなく予測本として書かれていることに注意してください。

この本に収録されている私の解説にも書いているのですが、著者のハンソンさんは経済学部の先生でありながら物理学と哲学の修士号、社会科学の博士号を持っていて、コンピュータ科学や哲学などあらゆる分野に詳しく、論文の引用回数が5000を超えるという博覧強記の天才です。

サブタイトルのEMはエミュレーション(模倣)の略で、「エム」と読みます。エムは、全脳エミュレーションによってつくられたコンピュータ上の知性体のようなものです。100年後の世界ではこのエムが主に活躍をしていて、生身の肉体を持った人間はもうほとんどいなくなっています。

実空間の都市部には高層ビルが林立し、ビルの中にはコンピュータがたくさん格納されており、その中のメタバース内にエムは暮らしています。さらに、エムは全脳エミュレーションによってつくられたＡＩのようなものなので、一部は実空間のロボットに組み込まれてもいます。

さらにエムは、暑さや寒さ、痛み、空腹は感じないけれども、喜びや悲しみ、あるいは不安の感情は持ち、恋人や友人関係を互いに持つそうです。しかし、エムが暮らすコンピュータを稼働させるには、冷却装置や通信回路のサポートなど常時エネルギーの維持に多額の費用がかかるので、一日のうちの長い時間を労働にあてなければいけないという夢のない世界です。

この本が描くのは１０００年後の世界ですが、しかしそこで描かれるのはほんの１、２年間の出来事だそうです。エムの主観的な時間経過は１０００年くらいにもかかわらず、エムの世界自体が超早回しで進んでいるので、１０００年の時間の流れは、物理的な世界から見ると１、２年の出来事なのだといいます。

訳が分からないトンデモ本と思った人もいるでしょうが、この本はウォール・ストリート・ジャーナルやフィナンシャル・タイムズで、「確かに世界はいずれそうなるだろう」と高い評価を得ています。しかし、私自身は実現しそうもない未来だと思っています。そもそも、マインドアップローディングが可能でなければ、あり得ない未来です。

シミュレーション仮説

マインドアップローディングや『全脳エミュレーションの時代』で書かれたような未来が実現しないとしても、世界がメタバース的な方向に行くのは間違いありません。メタバースが普及して、メタバース内の世界がほとんど現実と見分けがつかないようなレベルに達すると、人間が現実に対して抱く世界観も大きく変わっていくでしょう。メタバース内の世界と現実の世界の境界が揺らいでいくかもしれません。

このように、メタバースは哲学的にも大きなインパクトを持つようになるでしょう。そこで本章の最後に「シミュレーション仮説」というものをご紹介したいと思います。これは、私たちが生きているこの実空間自体が仮想空間のようなものであると考える仮説です。

つまり、私たちは何か超生命体によって造られた宇宙の中で暮らしていて、その宇宙はコンピュータでシミュレーションされたものだという、これまたＳＦのような考えです。

あるいは技術が発達した未来の人間が過去の出来事をコンピュータでシミュレーションしていて、我々はそのシミュレーション世界の中にいるという考えです。ちょうど映画『マトリックス』のように、私たちは自分たちが気づかないうちに、メタバース内に住んでいるというわけです。

イーロン・マスクさんなどは「私たちはコンピュータ・シミュレーションに生きている」とこの説を支持しています。

マスクさんが何度も引き合いに出している「シミュレーション仮説」の提唱者が、ニック・ボストロムさんというオックスフォード大学の教授で、ＡＩの未来を論じているスウェーデン人の哲学者です。

ボストロムさんは、この世界がシミュレーションである可能性は極めて高いと言っています。なぜなら、このまま文明が進んで技術が発展を続けていくと、人類はいずれ人間や世界そのものをコンピュータ上でシミュレーションしようと考えるようになるからだと。

世界中の研究者がこのようなシミュレーションを始めるようになり、数十億のシミュレーションがなされるようになる。でも現実は一つなので、数十億分の１の確率でしか現実世界にはいないことになり、シミュレーション世界にいる可能性のほうが高くなるという議論なのですが、私はこの説も信じていません。

仮説の内容は面白く、論理的にはっきりと反論できないので、こういう考えも頭ごなしに否定すべきではないとは思います。私の持つ違和感の正体は、この世界がシミュレーションであるわりには、クォーク（物質の最小単位）に至るまで細かく造りすぎではないかということです。原子・分子レベルよりさらに細かいレベルまで造りこまれているとなると、シミュレーションにしては無駄に大掛かりであるように思われます。

さらに言うと、シミュレーション仮説が正しいとすれば、人工物に意識が宿ることが前提になっているはずです。私たちがコンピュータ上のシミュレーションでしかないのに意識を持つというのであれば、人工物もまた意識を持っていることになるからです。

しかし、生命以外に意識が宿らないという私の立場からすれば、シミュレーション仮説はありえないという結論が導かれます。そうであっても、メタバースがリアルになればなるほど、実空間もコンピュータ上にあるのではないかとの錯覚がもたらされて、シミュレーション仮説を信じる人は増えると思いますが。

注

（1）全脳アーキテクチャ（whole brain architecture）「脳全体のアーキテクチャに学び人間のような汎用人工知能を創る」というアプローチ。

（2）全脳エミュレーション（whole brain emulation）脳全体を分子・原子レベルからエミュレーション（模倣）することで、汎用人工知能を実現しようとするアプローチ。スキャニング→画像翻訳→シミュレーション→身体化の4段階で示される。

（3）ニューラルネットワーク（neural network）人間の脳内にある神経細胞（ニューロン）と、そのつながりである神経回路網を数式的なモデルで表現したもの。ニューロンは電気信号として情報伝達を行うため、シナプスの結合度合によって情報の伝わりやすさが変わる。この結合強度をニューラルネットワークでは重み「W」で表現する。

（4）ＯｐｅｎＡＩ　２０１５年12月に設立された、人工知能の研究をするアメリカの非営利団体。全人類に有益性をもたらすような人工知能のオープンソース化を進めることをミッションとして掲げる。イーロン・マスクをはじめとする実業家・投資家が参加している。ＧＰＴ-3だけでなく、21年1月にはＧＰＴ-3の画像版ともいうべき人工知能「ＤＡＬＬ・Ｅ」も発表した。

（5）ＧＰＴ-3（Generative Pre-trained Transformer-3）文章やプログラミングのコードを書くなど、自然言語による指示に柔軟に応えてくれる人工知能。

（6）ＰａＬＭ（Pathways Language Model）グーグルが２０２２年4月に発表した「万能ＡＩ」。一つの機械学習モデルで自然言語処理に関する最大数百万種類のタスクに対応できる。従来の言語モデルが1モデルで1タスクに限定されていたのに対し、飛躍的に能力を向上させた。

（7）悟道２・０　北京智源人工知能研究院が主導する研究チームが２０２１年に発表した事前学習モデル。１兆７５００億のパラメータを使用している。

（8）ノンプレイヤーキャラクター（ＮＰＣ）　ゲーム上でプレイヤーが操作しないキャラクターのこと。プレイヤーキャラクター（ＰＣ）の対義語。

（9）ＡＩ Ａｖａｔａｒ ＡＯＩ（エーアイ　アバター　アオイ）　VRChat のメタバース空間上で利用できるＡＩ音声対話アバターのこと。ユーザーの発話を高精度で認識して、自動応答を行う。

（10）ブレインテック　脳科学の研究成果とテクノロジーを接続する技術のこと。

（11）ＢＭＩ（Brain Machine Interface）　脳と機械（コンピュータ）をつなぐ技術のこと。

（12）ＢＢＩ（Brain Brain Interface）　脳と脳を連結する技術のこと。

（13）ニューラリンク（Neuralink）　イーロン・マスクらが２０１６年に共同設立した、人間がスマートデバイスと直接つながることを可能にするＢＭＩを開発するスタートアップ企業。

（14）スマートグラス　眼鏡のようにかけて使用する装着可能なデバイスの総称。目の前に広がる現実空間にデジタル情報を重ねて表示できる。

（15）スマートコンタクトレンズ　コンタクトレンズのように装着するだけで視野に情報を重ねて表示できる。アメリカの医療系ベンチャー企業 Mojo Vision が開発中の Mojo Lens は視覚障害者向けの輪郭強調なども目的として開発されている。

（16）『宇宙・肉体・悪魔』「史上もっとも偉大な科学予測の試み」と、イギリスのＳＦ作家アーサー・Ｃ・クラークが評した、イギリスの生物・物理学者デスモンド・バナールによる１９２９年刊行の人類未来論。人類の妨げとなってきた物理的・生理的・身体的な三つの制約「宇宙・肉体・悪魔」のくびきから人類を解き放つため、未来人は宇宙進出を果たし、その過程で自らの肉体を工学的に改造しながら超越的な存在へと進化すると予言した。宇宙開発、遺伝子工学、ＡＩによるシンギュラリティ問題などを先取りし、ＳＦ作家たちに多大な影響を与えた。

（17）『幼年期の終り』　アーサー・Ｃ・クラークによる１９５３年発表の長編小説。人類は長いあいだ、オーヴァーロード（最高君主）と呼ばれる異星人によって「飼育」されており、その結果、平和で理想的な社会がもたらされたとする人類進化を描く。異星人との遭遇から人類は新たな進化の道を歩み始める。89年に一部が書き換えられ、旧版と新版が存在する。

（18）『新世紀エヴァンゲリオン』　庵野秀明原作・監督のＳＦアニメ作品シリーズ。大災害「セカンドインパクト」が起きた２０１５年の世界を舞台に、巨大な汎用人型決戦兵器「エヴァンゲリオン」に乗った少年少女たちと謎の生命体「使徒」との戦いを描く。

（19）マインドアップローディング　脳を構造レベルでも機能レベルでもシミュレートしてコンピュータなどの人工物に再現すること。

（20）ヒト・コネクトーム（human connectome）　人間の神経回路地図全体のこと。ニューロンなど生物の神経系内の接続状態を示した地図のことをコネクトームと言う。

7章　日本をメタバース先進国にするにはどうしたらよいか？

既にメタバース後進国になりつつある日本

前章では遠い未来へと行き過ぎてしまった感があるので、最後のこの章では心を現在へと引き戻して、日本経済の現状に関係づけてメタバースについて論じます。

メタバースの普及は、身体性の喪失や運動不足といった問題をもたらす可能性があります。一方で、通勤ラッシュ、都市部の高い住宅価格、地域間格差、地球温暖化といった問題を解消し得る力を持っています。

対人恐怖症やコミュニケーション障害を抱えた人達、体が不自由で寝たきりの人達が、人と交流したり、自由に活動したりできるようになり、弱い立場の人達のＱＯＬ（生活の質）を高めることもできます。

他に、仕事や教育がより効率的になされるようになるとか、人類が今まで経験したことのない豊饒な娯楽がただ同然で享受できるといったような、経済、文化の新しい可能性にも満ちています。

そして、世界がメタバース化に向かって進んでいくのはほとんど確実です。だから、日本は他国に先行して取り組んでいった方が良いでしょう。しかし、マスメディアが話題として取り上げたり、一部の企業が焦って参入しようとしている一方で、多くの消費者は今のブームに対して冷笑的であるか、無関心であるかのいずれかです。

世界経済フォーラムの調査によれば、VRやARに肯定的な人の割合は、調査対象の29カ国中、日本は最も低い22%でした。1位は中国で78%、2位はインドで75%です。全体的に発展途上国が高い傾向にあるとはいえ、韓国の63%やアメリカの42%、フランスの31%に比べても日本は格段に低いことが分かります。

これまでインターネットやAIについても、どうせ大したことはないとか、どうせ根付かないなどと冷めた意見が多かったので、結局のところ日本はIT後進国になり、AI後進国になりました。AI社会の到来にも、人の雇用を奪うなど様々な問題があります。しかし、だからといってAIの導入を進めなければ、日本は世界から後れを取ってしまいます。

2019年に私が出版した『純粋機械化経済』という本のサブタイトルは「頭脳資本主義と日本の没落」でした。AIの分野で後れをとる日本は、頭脳資本主義の時代にあって没落を余儀なくされるだろうと警鐘を鳴らしたのです。

私には微々たる影響力しかありませんが、その年の末にソフトバンクの孫正義さんが「日本はAI後進国であることを早く自覚してほしい」と発言してから、この問題は以前より広く認知されるようになりました。それでもＡＩも含めデジタル技術で日本が後れを取っている事実に変わりはなく、まだまだ自覚と危機感が足りていない状況です。

アメリカの投資家グレブ・チュブピロさんがウェブで発表した「２０２０年のＡＩ研究ランキング：アメリカは中国をリードし続けられるのか？」（AI Research Rankings 2020）によれば、「世界のＡＩ研究をリードする国」は、1位がアメリカ、2位が中国で、日本は9位です。

9位ならまずまずじゃないかと思うかもしれませんが、日本のＧＤＰは世界3位なので、やはり3位ぐらいにつけていないとそれ相応ではないでしょう。日本は10位のイスラエルの10倍以上の人口で、10倍以上のＧＤＰであるにもかかわらず、ＡＩ研究では同程度の水準でしかないのです。

人口１００万人あたりのＡＩに関する論文の数（を諸々調整したインデックス）で比較すると、1位はスイス、2位はイスラエルで、日本は20位まで順位を落とします。やはり人口当たりで比較すると、イスラエルとは格段に差が開いてしまうのです。

スイスの国際経営開発研究所が発表した「世界デジタル競争力ランキング２０２２」によれば、２０２２年のデジタル競争力1位はデンマーク、2位はアメリカです。お隣韓国は8位、台湾は11位、中国は17位で、日本は29位です。しかも、18年に日本は22位、19年は23位だったので、年々順位を落としています。

知的好奇心の低い日本

企業による投資と言えば、今まで工場における機械設備の設置を意味していましたが、頭脳資本主義が到来している中で、今や研究投資に比重を移しつつあります。しかし、巨大ＩＴ企業の存在しない日本は、ＡＩ研究に投資する資金が圧倒的に不足しています。

ＡＩ革命（第四次産業革命）は、ＩＴ革命（第三次産業革命）と地続きになっているので、ＩＴ革命に成功した企業は続いてＡＩ革命にもお金を使えるのです。だから、「ＡＩ研究をリードするグローバル機関」のトップはＩＴ革命の勝者であるグーグルであり続けています。

そして、巨大ＩＴ企業を数多く抱えるアメリカと中国が、ＡＩ研究でトップを競い合っています。ＩＴ企業の時価総額ランキングのトップ20に入っている企業は、ほとんどがアメリカと中国の企業です。このようなＩＴ企業がＡＩなどの研究に資金を惜しみなく注ぎ込んでいたら、とてもではないが日本はアメリカや中国には勝てません。

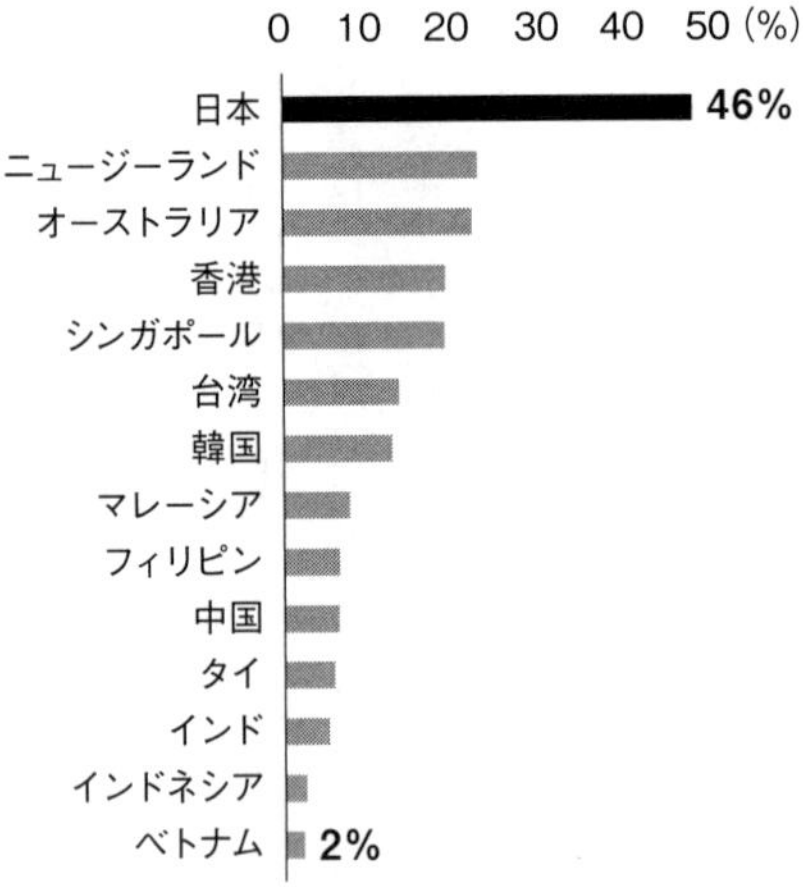

（出所）パーソル総合研究所「APAC就業実態・成長意識調査（2019年）」を基に経済産業省が作成。

図1　社外学習・自己啓発を行っていない人の割合

資金力だけの問題ではありません。日本は数学的な思考力や国語の思考力は他国に比べてかなり高く、調査によっては1位ですが、デジタル技術スキルは63カ国中なんと62位です[1]。

日本人が他の理工系分野に比べて比較的ITが苦手というのは事実でしょうが、ITさえなんとかすれば済むという話でもありません。問題はもっと根深く、日本人の大人は他の国の大人と比べてぶっちぎりで勉強しません。

まず、日本企業は人材投資をしなくなっており、主要国最低レベルです。新人研修に熱心なイメージがあるせいか、社員教育に力を入れていると思われがちですが、実際にはそんなことはありません。

図1にあるように、社外で勉強しない人が46％もいます。「自分の実感と合わない、自分も周りの人もみんな勉強している」と驚く人もいるかと思いますが、私には納得の数字です。

というのも、大学で教えていると分かることですが、講義に関わること以外は一切勉強しないし、知的な本を一切読まないという学生が半分くらいいます。小説だけでも読む学生はまだマシに思えます。

比較的時間のある学生時代に本を読まないくらいだから、社会人になったらどうかは推して知るべしでしょう。実際、文化庁の平成30年度「国語に関する世論調査」によれば、月に1冊も読書をしない人の割合は47％です。

私が、ツイッターで「日本の会社員はぶっちぎりで勉強しない」と書いたら、「ふざけるな！　経済停滞を労働者のせいにするな」というリプライをたくさんいただきましたが、私は単にグラフから読み取れる事実を言っただけです。

リプライの中には、「仕事に疲れ切っていて勉強や読書をする余裕がない」という意見もありました。当然、そういう人も少なくないと思いますが、主因は他にあると思います。

というのも、多くの調査が、日本人の知的好奇心が他国に比べて圧倒的に低いと指摘しているからです。

例えば、図2を見て分かるように、日本の子供達は、他国と比べて科学を楽しいと感じていません。そうかと言って、全然勉強しないというわけではない。それどころか、図3のように、数学的リテラシーランキングは1位、科学的リテラシーランキングでは2位で、大変優秀です。一言で言うと、日本の子供達は「勉強嫌いのガリ勉」ということになります。テストがあるから勉強するが、大人になったらテストはないので一切勉強しない。それが半分くらいの日本人の姿です。実際に大学で教えていても、勉強を試験でいい点をとるための修行としか思っていない学生が多いことを実感します。

講義の終了時に受ける質問は、「テストには何が出るんですか」とか「テストは選択式ですか、論述も出ますか」というものばかり。知的好奇心を満たすことではなくテストでいい点をとるための対策が勉強と考えているのなら、そうなるのも不思議ではありません。

そういうわけで日本人は、20歳ぐらいまでは勉強せざるを得ない環境に置かれるので学力が高いものの、それ以降は、20歳ぐらいまでに身につけた学力でなんとか残りの全人生を乗り切ろうとする。

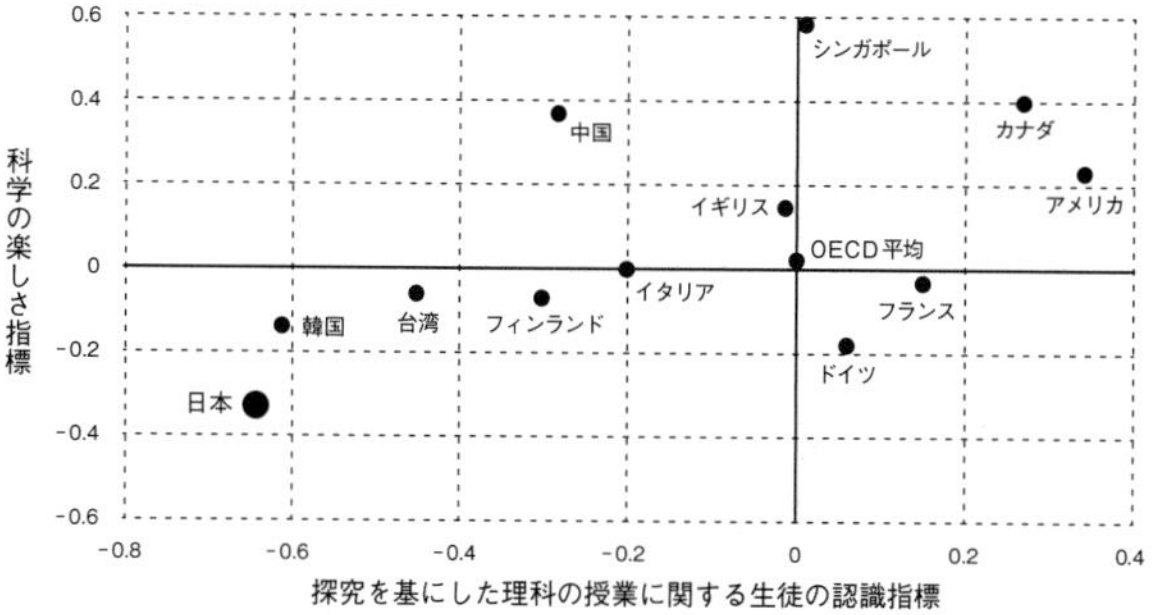

(注1)「探究を基にした理科の授業に関する生徒の認識指標」は、その値が大きいほど、生徒が理科の授業が探究を基にした授業であると認識していることを意味する。
(注2)中国は北京・上海・江蘇・広東を指す。
(出所)経済産業省(2022)「未来人材ビジョン」を基に作成。

図2　科学の楽しさ指標と、探究を基にした理科の授業に関する主従の認識指数の関係

数学的リテラシーのランキング

順位	国名	平均得点
▶ 1	日本	527
2	韓国	526
3	エストニア	523
4	オランダ	519
5	ポーランド	516
6	スイス	515
7	カナダ	512
8	デンマーク	509
9	スロベニア	509
10	ベルギー	508
	OECD平均	489

科学的リテラシーのランキング

順位	国名	平均得点
1	エストニア	530
▶ 2	日本	529
3	フィンランド	522
4	韓国	519
5	カナダ	518
6	ポーランド	511
7	ニュージーランド	508
8	スロベニア	507
9	イギリス	505
10	オランダ	503
	OECD平均	489

(注)義務教育終了の目安となる15歳を対象に、これまでに身に付けてきた知識や技能を、実生活の様々な場面で直面する課題にどの程度活用できるかを測るもの。
(出所)経済産業省(2022)「未来人材ビジョン」を基に作成。

図3　数学的リテラシーと科学的リテラシーのランキング

ところが、科学技術が社会や経済に与える影響は大きく、毎年のように、ブロックチェーン、フィンテック、ＡＩ、ＮＦＴ、ＤＡＯなどと新しい概念が出ています。だから、大人になっても勉強し続けなければもはや変化に追いつけず、新しいビジネスをうまく展開することもできないはずです。知的好奇心が低ければ、そうした変化にキャッチアップする能力もおのずと低くなり、時代にもついていけなくなるでしょう。

１９７０年から95年までの25年間は、比較的科学技術が社会や経済に及ぼす影響が少なかった時期です。その時代であれば20歳までの知識で乗り切れたかもしれませんが、今では難しくなっています。

このように知的好奇心が低いままでは、日本の相対的な没落は避けられないでしょう。詰め込み教育が絶対にいけないわけではないにせよ、子供達の知的好奇心を育てられなかったのは、はっきりと教育の大失敗と言っていいでしょう。一教育者として私自身も反省することしきりです。

さらに日本は科学力の低下も顕著で、図４のように、２０００年くらいから日本の科学論文の数はゆるやかに減少しています。他国は当然論文数を増やしていて、なかでも中国は指数関数的に増えています。

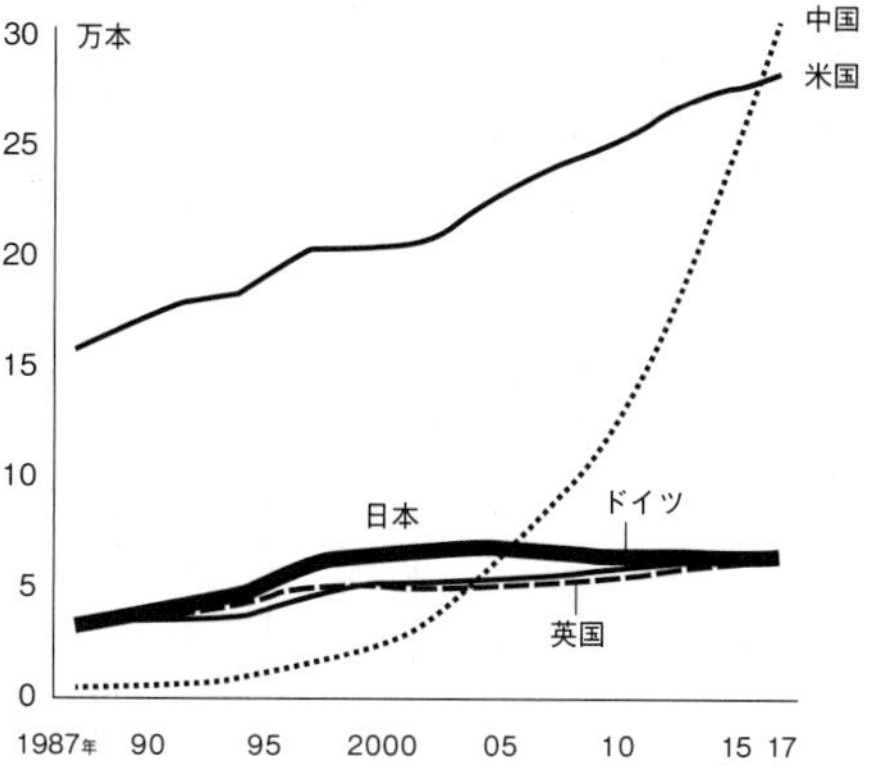

（注）3年平均。米クラリベイト・アナリティクスのデータを基に文部科学省科学技術・学術政策研究所が集計。
（出所）中国、科学論文数で首位　研究開発でも米国と攻防：日本経済新聞（2020年8月8日）より。

図4　主要国の研究論文数

研究者の世界では科学技術の成果を論文として発表するので、その数の減少は科学技術の衰えとも言えます。つまり、一般的な労働者の勉強意欲も低いうえに、科学者の成果も減少傾向にあるということで、日本はかなりピンチです。

日本経済はなぜ衰退したのか

科学技術が衰退している原因は、教育の失敗以上に近年の経済衰退にあると思われます。あるいはまた、教育の失敗の背景にも経済衰退があると考えられるでしょう。これまで日本の経済成長率の低さ、GDPの伸び悩みについては、さんざん指摘されてきました。

GDPは中国に抜かれて3位になりましたが、それ以上に一人当たりGDPのランキングが下がっています。
２０００年には1位のルクセンブルクに次いで日本は2位でしたが、21年には27位にまで落ちています。円安の影響などもあるので、すべてを文字どおり受け取るわけにはいかないものの、趨勢的に日本の経済が衰退していっているのは間違いないと言えそうです。賃金の伸び悩みも顕著で、名目賃金（給料の額面）は、平成の30年の間に上がって下がっておよそ元に戻っています。さらに名目賃金を物価で割った実質賃金は、むしろ平成の30年間でスタート地点より下がっているので、普通の会社員の暮らしぶりはこの間貧しくなっていっていると言えます。

なぜここまで日本経済は衰退したのでしょうか。企業経営者やコンサルタントの人たちは著書などで、問題は供給側にあると主張していることが多く、「サプライサイダー」ばかりだと思われます。

すなわち、規制により自由にビジネスが展開できない、ＤＸ化が遅い、ベンチャーを支援する体制がない、既得権益を守ろうとする輩がいるので産業構造改革が進まない、労働市場の流動化がなされていない、日本人は英語ができなくてグローバル化に対応できない、教育が旧態依然としている、等々です。

経済学者は、供給側が問題だという「サプライサイダー」と需要側が問題だという「デマンドサイダー」に二分されています。本章でこれまで、日本の企業や労働者が頑張らないから日本経済が停滞していると受け取られかねない議論をしてきて、私をサプライサイダーだと思った人もいるでしょうが、私自身は根本的にはデマンドサイダーです。

そもそも日本経済において需要側に問題が生じ、その問題が供給側のほうに転化していったと考えているわけです。なぜかというと、需要不足の問題が発生するバブル崩壊以前には、日本企業はすごく調子がよかったからです。

さらにいえばバブルが崩壊して、需要不足に陥ってからすぐに供給側もだめになったわけではなく、相変わらず日本企業の技術レベルは高かった。しかしそれが徐々に凋落《ちょうらく》していったのは、まさに需要不足の問題が供給側のほうにも波及してしまったせいだと思います。

サプライサイダーとデマンドサイダーのネットでの議論を傍《はた》から眺めていると平行線を辿ることが多いようです。それは、両方に問題があるにもかかわらず、サプライサイダーは供給側の問題しか見ておらず、デマンドサイダーは需要側の問題しか見ていないからです。両者とも、需要側の問題が供給側の問題へ転化していくプロセスを認識していないのでしょう。

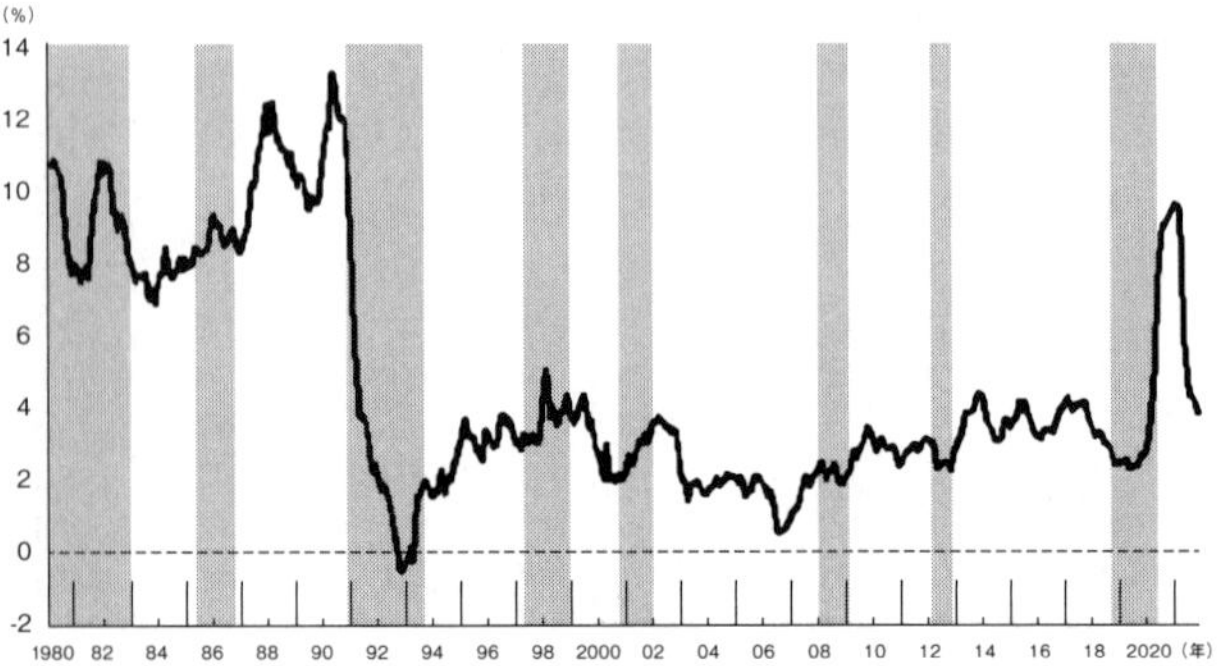

※M2／平残前年比／マネーストック（2004年3月以前はマネーサプライ）　日本銀行のホームページで作成

図5　マネーストックの増大率

そもそも需要不足を招いた要因はバブル崩壊にあります。崩壊したときに、それまで銀行からお金を借りて土地や株に投資していた企業は、せっせとお金を返し始めました。

世の中に出回っているお金、つまりマネーストックは企業が銀行からお金を借りることによって増え、企業が銀行にお金を返すと減ってしまいます。だからバブル崩壊で企業がせっせと銀行にお金を返していくと、世の中に出回るお金であるマネーストックが減ってしまうわけです。

正確には一回減って、そのあと増え始めるものの、増え方が微々たるものになっていく。図5の縦軸にはマネーストックの増大率をとっており、0より下であれば減少、上であれば増大ということになります。1980年代には10%程度の増大率だったのが、90年代以降コロナ危機の期間を除けば常に2〜4％程度で低位安定しています。そこが私は問題の根幹だと思っています。

お金の増え方がちょぼちょぼで、あまり世の中にお金が出回っていかない。そうすると、人々の持っているお金の量もあまり増えていかないので、消費需要の伸びも低迷します。

デフレになると賃金が上がらない理由

さらに言うと、需要不足が長く続いた結果、1998年についにデフレが始まってしまい、不況はより深刻化します。デフレが続くと、賃金が上がりにくくなり、それによってさらに消費需要はダメージを受けます。賃金が上がりにくくなるメカニズムは、一見簡単に見えて若干複雑です。

賃金には「上がりやすく下げにくい」という性質があります。なぜなら、賃金を上げたら労働者が喜ぶので上げるのは簡単です。逆に、賃金を下げるときには労働者から猛反発を受けるので下げるのは難しい。例えば、これまで1000円だった時給を来月からは950円にすると言うと、誰もが怒ります。

ところが、デフレが長く続いているなかで少し景気が上向いて来たので賃金を上げようと考えても、その先景気が悪くなっても下げられなくなるので、それならもう上げるのはやめようと企業側は思ってしまうわけです。

逆にインフレならば賃金を上げたとしても、物価の方も上昇していくので、調整がしやすいわけです。賃金を据え置きにしておいて物価が上昇すれば、実質賃金は勝手に下落してきます。しかしデフレだとその調整ができないので、そもそも賃金を上げないでおこうという気持ちが働いてしまう。

要するに、デフレが長く続いたために企業は賃金を上げたくないという「デフレマインド」に陥ってしまっているのです。例えば運送業界や建設業などに多くみられるように、需要が増え、人手が不足しているにもかかわらず賃金を上げるのをためらう企業は少なくありません。賃金を上げればもっと人が来るかもしれないのに、上げずに、人手不足が続いていると言っているわけです。

これは経済学者に言わせればおかしな話です。人手が不足しているならば賃金を上げればいいと思われるのですが、それにもかかわらず上げない理由は、まさにデフレマインドにあるのです。

デフレマインドとは何か

デフレマインドとは、一般にデフレ不況が長く続くことによって生じる人々の心の保守性のようなものです。何か思い切りのよさがなくなって守りに入ってしまうマインドのことです。企業経営者がこのデフレマインドに浸って、賃上げしないのはその現れの一つで、他には果敢に投資をしないで、留保金をため込んでばかりというのもあります。労働者もまた、この平成の30年間で、公務員志向、安定志向になり、保守性が身についてしまいました。

さらに政府にもデフレマインドがしみついて、思い切ってお金を使わなくなってしまっていることが見て取れます。研究開発や科学技術にもお金を投じないし、教育にもお金を投じない。未来のために何か思い切ってお金を使うということをしなくなっています。

子供達一人ひとりの知的好奇心を育てるような教育を行うには、それなりにコストがかかります。お金をかけないで目に見える成果を出そうとすれば、これまで通りの詰め込み教育になってしまうでしょう。

これでは日本が発展するわけはありません。政府が未来への投資をやめれば、労働者も消費者も思い切ってお金を使わなくなります。けちけち病などという言い方もあるように、今はみんなでけちってお金を使わず、守りに入っている状態です。

この「デフレマインド」の反対語は「アニマルスピリッツ」でしょう。これはケインズの『一般理論』に出てくる言葉です。新しい技術やイノベーションがモノになるかどうかわからないものの、企業経営者がその不確実性に思い切って賭けてみるという精神のことです。今やこの精神がすっかり失われてしまい、経営者はデフレマインドに浸ってしまっているわけです。

最近たまたまネットの記事を眺めていたら、日本映画について述べた映画監督の井筒和幸さんの言葉が目に留まりました。「日本映画は日本経済と一緒でまったくダメ。手堅く稼ごう、とにかく採算取れたらいいとしか考えてないから。映画なんてのはもともと（当たるか当たらないかの）大バクチなのに、リスクを分散させてばかりで、バクチ的な思考が消えてしまったね」（「ENCOUNT」2022・7・21）という印象的な発言ですが、これは映画に限らず、すべてのビジネスに言えると思います。

メタバースに関しても同じようなことが起きています。もちろんビジネス界にも行政側にも、メタバースに思い切って身を投じたほうがいいと言う人もいるのですが、ネット上の反応などを見ていると、「こんなのただのブームで終わる」「こんなブームに自分は惑わされない」といった冷笑的な人が多い印象です。

しかし「惑わされないぞ」というのは、一見自分の考えをしっかり持っているように見えて、ただデフレマインドが身についてしまっているだけではないか、とも考えられるわけです。

メタバースに関わるビジネスが当たるかどうかも博打《ばくち》みたいなものかもしれませんが、お金のかかる芸術やビジネスは思い切ってお金をかけてリスクをとらないと、面白いものは生まれません。

緩やかなインフレ好況を

デフレマインドを根本的に解決するには、緩やかなインフレ好況を10年ぐらい続けるしかないでしょう。今のインフレは原材料費などの上昇や円安などで発生する「コストプッシュ・インフレ」なので景気がよくなるわけでもなく最悪です。

需要が高まって景気が良くなることによって物価が上がっていく「デマンドプル・インフレ」を10年ぐらい続ければ、出口が見えてくるでしょう。30年ぐらいかけてしみついたデフレマインドは容易に消え去るものではなく、10年単位での治療が必要なものなのです。

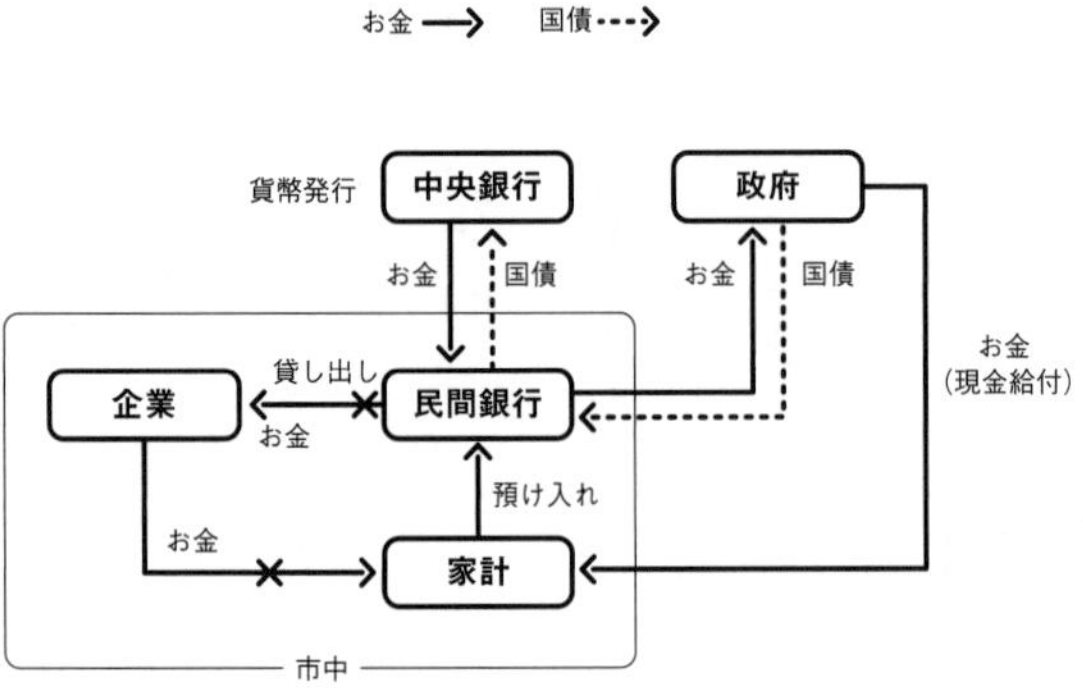

図6　お金の流れの目詰まりと現金給付

それでは、インフレ好況を10年続けるにはどうしたら良いのでしょうか？　金融政策でインフレ率を上げるというのが主流の考えですが、すでに金利はゼロにまで至っています。だから、量的緩和政策をやってももはや銀行にお金がたまるだけで、銀行から企業、企業から家計にお金が流れていかない状況にあります。要するに、これまでの日本経済では、お金の流れが「民間銀行から企業」と「企業から家計」の二ヵ所で目詰まりを起こして滞っているのです。図6の×をつけたところです。

そこで、私は政府が家計に直接給付するしかないと考えています。それはちょうど図6の「お金（現金給付）」と書いてある矢印に相当しています。今でも日銀が上場投資信託（ETF）などを買って上場企業とその株式にお金をばらまいているので、そんなことをするくらいなら国民に平等にばらまけよという主張でもあります。

ちなみに今の円安は主に日米の金利差によってもたらされたのであって、日本政府によるお金のバラマキによってもたらされたわけではありません。むしろ、より多くばらまいたのはアメリカであって、大規模な現金給付を３回も行っています。さらに、失業手当の拡充などでインフレ率が高まり過ぎたので、金利を引き上げることで抑制しようとしたのです。

だから、金利差を縮めて円高に誘導するには、日本もアメリカに負けじとバラマキを行い、景気を過熱させたうえで、金利を引き上げればいいのです。ただし、バラマキによって物価が上がれば長期的にはさらに円安が進む恐れがあります。

しかし極端な話、家計にお金をたくさん配ることにより物価が２倍になったとしても、対ドル円相場はおそらく２倍にはなりません。例えば、１ドル＝１４０円から１ドル＝２８０円になるかと言えば、一般的にはそこまでいきません。

仮に物価が２倍になり収入も２倍になって、対ドル円相場が１・５倍にしかならなければ、日本の庶民はパンとか電気、ガスなどをより楽に買えるようになります。

要するに、家計にお金をたくさん配って物価を上げることにより、対外的な円の価値「実質実効為替レート」を上昇させることができるのです。逆に言うと、「円の実力」とも言われるこの実質実効為替レートが1995年から趨勢的に下落し続け、日本の物価が東南アジアの発展途上国並みになった主な原因は円安ではなくデフレです。

実際、2022年の日本のビッグマック指数は41位で、40位のベトナムより低い。これは、日本のビッグマックがベトナムのビッグマックよりも安いことを意味しています。日本はデフレにより「安い国」になってしまったのです。

日本のビッグマックの値段が、アメリカの値段である710円近くになるまで、お金をばらまいて物価を上昇させるべきです。デフレがなければ、日本もそのくらいの物価になっていたはずです。政府は、そうして日本を「安い国」から「高い国」にすることを、経済政策の目標として掲げるべきだと思います。

メタバースは日本経済逆転のチャンスか

しかし、今の政府ではバラマキによるインフレ好況は期待できないでしょう。日本人は今すぐにでもアニマルスピリッツを取り戻さなければならないにもかかわらず、そういう反緊縮政策が実行に移されないことが残念でなりません。

今思い切ってメタバースに投資していかないともったいないからで、これは日本経済逆転のラストチャンスのようなものです。なぜならすでに何冊ものメタバースに関する本に書かれているように、メタバースは日本にとってすごく有利だからです。日本には何しろ、漫画やアニメなど、メタバースにふさわしいコンテンツがたくさんあります。

　バーチャル渋谷のように現実そっくりの「デジタルツインズ系」も増えていく一方で、現実世界とかけ離れたアニメや漫画のワールドである「異世界系」も大いに発展の余地があって、日本の未来は後者の方にあるのではないかという気がしてなりません。

　もうすでに、VRChat上に『新世紀エヴァンゲリオン』や『鬼滅の刃』のワールドがありますが、人気アニメ、人気漫画の数だけワールドがつくれると言っても過言ではないでしょう。しかも日本にはファイナルファンタジーやドラゴンクエストのように、ほとんどメタバースに近い、高解像度の巨大なゲームをつくる能力があるので、エンジニアがそろっているという優位性もあります。

　ＡＩに関しては日本の優位性は特にありませんでした。１９８０年代の第二次ＡＩブームのときに活躍した当時の研究者がみなさん高齢になっており、若い研究者が育っていなかったからです。

　しかし、メタバースについては、かなり強力なはずで、日本にとっては本当にラストチャンスです。これに失敗したからといって未来永劫《えいごう》日本経済は衰退したまま、とまでは言い切れませんが、少なくとも第四次産業革命の技術の中で、ＡＩやロボットといった分野では、すでにアメリカや中国が優位に立っています。日本に残された最後の可能性がメタバースとも言えるので、そこに賭けてほしいと思っています。

日本がメタバース先進国になるにはどうしたらいいか

日本がメタバース先進国になるのに一番重要なことは、アニマルスピリッツを取り戻すことです。技術や元になるコンテンツはすでにあるので、あとは資金を思い切って投入して実行に移すだけです。

もちろんベンチャー企業が育ちやすいようなエコシステム（ビジネス的な生態系）の整備などは必要でしょう。実際に、ＡＩに関しては東大の近くにＡＩ関連企業が集積する「本郷バレー」があるように、エコシステムが機能するような場所をつくって企業を誘致するということは政府の役割としてあり得るとは思います。ただ、政府が主導してそのような場をつくらなくても、おそらく思い切りさえよければ、民間企業主体でどんどん進んでいくはずです。

確かなのは、このタイミングで景気を良くして投資を盛んに行っていかないと先がどん詰まりだということです。メタバースにも結局あまり投資をしなかったがために、アメリカと中国が主導権を握り、日本がいつものように後れを取るということになりかねません。しかも、メタバースそのものは独占的競争状態、要するに個々の企業やサービスが個性を競い合い、それぞれが差別化された状況になる可能性が高いはずです。

もちろん、ＨＭＤやスマートグラスなどデバイスについてはすでにメタやアップルが主導権を握りつつあり、独占的になることが予想されます。

ただし、ＨＭＤについて言えば、中国のピコ・テクノロジー社が提供する「ピコ」[2]が利用者数を増やしていたり、同じく中国のピーマックス社が「パイマックス・ポータル」[3]というＨＭＤにもなるゲーム機を先行発売し、人気が爆発しそうな予感があったりして、まだメタの覇権が確立したわけではありません。

スマートグラスも次世代のデバイスでまだ可能性が残されているはずなので、ぜひ日本企業に頑張ってほしいところです。すでにエプソンなどがスマートグラスを製品として出しているものの、ＯＳがアンドロイドであるという問題があります。ＯＳを握ることを日本企業は不得意とするのですが、実はＯＳこそが覇権争いの要だとも言えるからです。

アップルグラスの発売を予定しているアップルはハードウェアとOSの両方を握ろうとしているし、メタ社はメタ・クエスト2にも独自OSが入っているので、すでにOSも握っています。さらにアンドロイドのOSはグーグルのもので、マイクロソフトもマイクロソフトレンズを出しているように、GAFAMの内すでにアマゾン以外は次世代のOSの土俵でカードを切っています。

日本企業が今後スマートグラスをつくっていくとしても、おそらくすべてアンドロイド搭載のもので、OSを握ることは難しいでしょう。だから、もう資金を投じるのはやめましょうというのはそれこそデフレマインドの現れです。ハードウェアだけでも頑張って欲しいところです。

サイバーオリエンタリズム

すでに5章で加速主義についても説明しましたが、日本が加速主義のスタンスをとらないといけない理由に、科学技術や経済の面で後れを取ると世界に置いていかれること以外にも、安全保障上の脅威が増すという現実的な問題があります。

中国は科学技術や経済において爆速的な成長を遂げていく。その一方で、日本は大して進歩しないとなると、軍事的にも中国が圧倒的に優位になり、将来には台湾有事が飛び火するなどして戦争が現実のものとなった場合、アリと象のような戦いになりかねないのです。

あるいは実際に戦争にまで至らなくとも、中国に少し脅しをかけられただけでも日本は震え上がって言うことを聞かざるを得ない。そういう情けないことも考えられます。「沖縄をよこせ」と言われたら差し出さなければならないような属国になってしまう可能性もあるというわけです。

だから私はいくら日本の科学技術や経済を加速させても構わないと思います。どうせいくら加速させても中国やアメリカには追いつけないのだから、それならもうアクセル全開で行くべきでしょう。日本が覇権をとってしまう心配なんて杞《き》憂《ゆう》に終わるので、覇権をとるような意気込みで良いかと思います。

ところがまた、加速主義で未来に向かって突き進めば、日本文化が壊れてしまうのではないかと心配する守旧派の人達もたくさんいるかと思います。そういう人達のために、私は「サイバーオリエンタリズム」というコンセプトを新たに作りました。

最新のテクノロジーと伝統的な東洋趣味が融合した様式を指す「テクノオリエンタリズム」という言葉をもじったものです。そもそも「オリエンタリズム」は昔からある西洋人から見た東洋趣味を指す言葉ですが、それはヨーロッパの近世以降長い歴史を持っています。

例えばドイツの哲学者ゴットフリート・ライプニッツなども、かなり中国文化に対する憧れを持っていました。コンピュータが発明される２５０年近くも前に、ＡＩの構想を示していたライプニッツは、０と１の二進法も考案しています。

ライプニッツは、中国の占いで棒線と点線の組み合わせからなる「八卦《はっけ》」から二進法の発想を得たと言っています。一説には、自分で思いついたものをわざわざ自分の憧れる中国文化の影響だと主張したとのことです。

いずれにしても、東洋やアジアのほうが進んだ文化を持っているという考え、あるいは西洋とは違う文化を持っているがために憧れの対象になるというのがオリエンタリズムで、当初は肯定的な言葉として使われていました。

ところが、パレスチナ出身の文学研究者であるエドワード・サイードが『オリエンタリズム』という本を著して以降、オリエンタリズムはある種の植民地支配のマインドと同じではないかと否定的な文脈で使われるようになりました。

東洋を西洋と異質なものとして考え、そこに憧れを抱くのは、ある意味では自分たちのほうが上で、東洋は文化的な憧れの対象でしかないという見下しである、あるいは逆に、東洋・アジアには恐るべきものがあると脅威に感じているがためのオリエンタリズムではないか、というわけです。

この「オリエンタリズム」同様、「テクノオリエンタリズム」もまた、東洋に対する憧れと恐れが入り混じったものと言えそうです。要するに科学技術が進歩していったときに、東洋的な文化と先端科学技術が入りまじる未来を思い描く西洋人は少なからずいるわけです。

「テクノオリエンタリズム」の例としてよく挙げられるのは、映画の『ブレードランナー』（１９８２）です。２０１９年のロサンゼルスの街並みの中に大阪の都市景観が現れ、冒頭では主人公に扮するハリソン・フォードさんが屋台でヌードルを食べるシーンが描かれます。その店の店主も日本語で「いらっしゃいませ」と言っている。

あるいは、メタバースという語を生んだ『スノウ・クラッシュ』は、日本刀を振り回すヒロアキ（ヒロ）が主人公で、日本人のビジネスマンやスシ・Ｋという日本人ラッパーも登場します。

このように、テクノオリエンタリズムの世界観はＳＦでよく見られます。この「テクノ」を「サイバー」にかえて私が作ったのが「サイバーオリエンタリズム」という言葉です。

私はこの言葉を肯定的な意味で使いたい。というのも、日本の伝統的な文化と先端的な技術は両方入りまじっていていいと思うからです。先端技術が大事であると同時に、日本の伝統文化も活かしていく。双方は両立できるという意味で、「サイバーオリエンタリズム」という言葉を使っていきたいのです。

日本未来主義を取り戻せ！

さらに、それに加えて「日本未来主義」というコンセプトも広めていきたいと思います。日本未来主義は、香港人の哲学者ユク・ホイさんが作った「中華未来主義」という言葉をもじっています。

後者は、科学技術の未来において進んでいる国はおそらく中国になるであろう、という西洋人の考えを揶揄するために作られた造語です。つまり、「中華未来主義」というものを、ユク・ホイさんはいいものとして捉えておらず、サイード的なオリエンタリズムの変型版として捉えているわけです。

ただ「中華未来主義」は揶揄の対象になるような西洋人の幻想ではなく、私自身実際に未来は中国のほうにあると思っています。私が２０１７年頃にそう言っても、「一党独裁的な国が民主主義国に勝てるわけがない」「どうせバブルが崩壊して中国の経済がダメになる」と言う人が多かったのです。

中国は、「中所得国の罠《わな》」を突破できないという声も強かったのです。これは、発展途上国が中所得まで経済発展した後、成長が鈍化し、その後また別の壁を乗り越えないと、高所得国の仲間入りはできないという傾向を意味します。

発展途上段階においては自国に外国企業を呼び込んで工場をつくり、人件費がまだ安い自国の労働者をそこで働かせれば、一気に成長できる可能性があります。ただ、そこから先には、教育や研究を進めて技術進歩を促さないと行けないわけです。その壁を突破できなかったのがブラジルなど南米の国々で、突破できたのは韓国、台湾、香港などです。

中国はこの壁を突破できないと２０１７年頃までは盛んに言われていました。しかし今や中国が「中所得国の罠」に陥っていると言う人はほとんどいません。それどころか、未来において中国がアメリカと競い合うようになるという見方は今では完全に定着しています。この数年で中国に対する見方はがらりと変わり、「中華未来主義」はもはや単なる幻想ではなくなったと思います。

『ブレードランナー』の例にあるように、１９８０年代ぐらいまでは、未来は日本のほうにあると言われていたわけです。今や中国にその座を奪われてしまいましたが、このまま負け犬でいいと私は思っていません。近頃の日本人はすっかり負け犬根性が染みついていますが、これもデフレマインドの一種と言えるでしょう。

日本は「日本未来主義」を取り戻し、科学技術の最先端を担うという意気込みを持ってメタバースに賭けてみるべきです。コンテンツ大国である日本の強みを活かして、エンジン全開で突き進もうという意味を込め、「サイバーオリエンタリズム」と「日本未来主義」という二つのコンセプトを提唱して本書を締めくくりたいと思います。

注

（1）　世界デジタル競争力ランキング２０２２。

（2）　ピコ（Pico）　中国発のＶＲヘッドセットのメーカー、ピコ・テクノロジー社による両目で４Ｋの解像度を実現したヘッドマウントディスプレイ。

（3）　パイマックス・ポータル（Pimax Portal）　ＶＲヘッドセットのパイマックスシリーズを手掛けるピーマックス社の携帯型ゲーミングデバイス。

おわりに

「バーチャルリアリティ」（VR）という言葉を作り出したのは、フランスの作家で俳優のアントナン・アルトーです。それではVRを初めて体験したのは誰でしょうか？　私が思うに、それは最初の人類です。

というのも、私達は誰でも夢という自然のVRを体感するからです。夢は、まるで現実のように私達に迫ってくるけれど現実ではありません。だから、遥かな古代にアフリカの大地で最初の人類が見た夢が、最初のVR体験ということになります。

6章で紹介した脳科学者渡邉正峰さんは著書の中で、脳はVR装置であるという説について説明しています。脳は絶えず仮想現実を作り出しているが、覚醒中は現実の世界と同期を取っているので、現実との間に齟齬がないように感じられます。それに対して、眠っているときには同期を取らずにいるので、現実とかけ離れた夢が生じるというわけです。

覚醒中でも現実との齟齬をきたすことがあって、それが錯覚や幻覚、白昼夢です。それらは例外的なもののように思えますが、本当にそうなのでしょうか？　古代の人達は神話を現実の出来事であるかのように信じていて、現代人からすると、集団でＶＲ体験でもしているかのようです。

逆に言うと、私達に神々の姿が見えないのは、科学の発達とともに、本来ＶＲ装置である脳がやたらと現実の世界と同期を取るようになったからではないでしょうか？　そうだとすると、人々が幻覚や白昼夢を見ることが少ない現代は、長い人類史の中では例外的とも言えそうです。

そして、それは決して人類にとって幸福なことではないかもしれません。というのも、現実を客観的に認識できることが、幸福につながるとは限らないからです。例えば、いくつかの研究結果によれば、宗教を信じている人の方がそうでない人より幸せな傾向があり、「あの店の宝くじは当たる」というようなジンクスを信じている人はそうでない人より幸せな傾向があります。

幻想なくして人が生きるのは難しいというわけです。だからこそ、私達はメタバースを必要とするのかもしれません。そして、メタバースは神々の姿を見ることのできない哀れな現代人が、科学の力で生み出した新たな神話と言えるでしょう。科学は神話を放逐したけれど、再び神話を生み出そうとしています。神話の世界から疎外された人類は、また神話の世界に立ち戻ろうとしているのです。

ところで、さきほど最初の人類が最初のＶＲ体験をしたと言いましたが、夢を見るのは人類だけではありません。そうだとすると、犬も猫もＶＲ体験をしているということになります。蝶にだって意識があって時には夢を見るかもしれません。

洋の東西を問わず人類は、蝶がひらひらと舞い飛ぶ幻想的な眺めに、魂が宙をゆらめく様を重ね合わせてきました。だから、例えば古代ギリシャ語で魂は「プシュケー」で、これは蝶をも意味します。

今から２３００年くらい前に自分の人生は蝶の見ている夢かもしれないという考えに至った人もいて、それは中国の思想家である荘子です。蝶になって楽しく舞い飛んでいた夢から目覚めたときに、自分が蝶の夢を見ていたのか、今の自分が蝶の見ている夢なのかは分からないと荘子は思ったのです。「胡蝶の夢」というこの有名な故事は、夢も現実も本質的にはなんら変わりがないということを示しており、全てのものは等価という意味の「万物斉同《ばんぶつせいどう》」を体現しています。

万物斉同というこの思想からすれば、メタバースも実空間もなんら変わりがないということになりそうです。実際、６章で論じたようにこの現実世界もシミュレーションでありメタバースであるかもしれません。

あるいは、この私の人生は、1000年後の未来人が見ている夢やVR映像かもしれません。たとえそうだとしても、荘子の教えにしたがえば、うろたえる必要はなく、悠々と構えていればいいということになります。

2章で、私はユニバースに未練たっぷりだと言いましたが、それはあまりにも今のメタバースに比べて体験が濃密だからであって、仮にもしその差異が完全に解消されるならば、もはや何バースでも構わないでしょう。ユニバースであれメタバースであれ、人間の本質は変わりなく保たれるはずです。

それでは人間の本質とは何でしょうか？　歴史的に多くの人々がその問いに答えてきて、例えばパスカルは「人間は考える葦である」という警句を残しました。しかし、考える機械であるAIが出現して、思考は人間だけの専売特許ではなくなってきています。

人間だけが行うものについてあれこれ考えをめぐらせた結果、私は「人間は意識を意識する動物である」という答えに至りました。これには、自分の意識を意識する「自己意識」もあれば、他人の意識を意識する「他者意識」もあります。

おそらく、人間以外の動物は意識について意識することがなく、6章で論じたように、

ＡＩはそもそも意識を持つことができません。逆に言うと、ＡＩが意識を持ち、さらに意識を意識できるようになれば、人として認める必要が生じてくるでしょう。奇しくも、『スノウ・クラッシュ』は、古代シュメールで最初に意識を意識した人間の物語でもあります。

私は読者のみなさんの意識を意識しながらこの本をしたためました。何バースにいようが、こういう営みの重要性は変わりないものと思われます。あるいはまた、人が人に感謝することの重要性もまた変わりないものと思われます。

まずは、この分厚い新書に最後までお付き合いいただいた読者のみなさんに感謝したいと思います。私がこの本を書くきっかけを与えてくださったバーチャル美少女ねむさん、私が乱雑に口述した内容を文章として書き起こしてくださったライターの斎藤哲也さんと担当編集者の鳥嶋七実さんにも感謝しております。

それから、メタバースに関して私と議論をしたり、調査を手伝ったり、原稿をチェックしたりしていただいた、藤田敦也さん、落合龍雅さん、荒井瑠華さん、都築栄司さん、品川俊介さんにも感謝の意を捧げます。

井上智洋（いのうえ ともひろ）

駒澤大学経済学部准教授、慶應義塾大学SFC研究所上席所員。博士（経済学）。2011年に早稲田大学大学院経済学研究科で博士号を取得。早稲田大学政治経済学部助教、駒澤大学経済学部講師を経て、2017年より同大学准教授。専門はマクロ経済学。特に経済成長理論、貨幣経済理論について研究している。著書に『純粋機械化経済』『ヘリコプターマネー』（ともに日本経済新聞出版社）、『「現金給付」の経済学』（NHK出版新書）、『人工知能と経済の未来』（文春新書）、『AI時代の新・ベーシックインカム論』（光文社新書）、『MMT』（講談社選書メチエ）など。

文春新書

1387

メタバースと経済《けいざい》の未来《みらい》

2022年12月20日　第1刷発行

著　者　井 上 智 洋
発行者　大 松 芳 男
発行所　株式会社　文 藝 春 秋

〒102-8008　東京都千代田区紀尾井町3-23
電話（03）3265-1211（代表）

印刷所　理 想 社
付物印刷　大 日 本 印 刷
製本所　加 藤 製 本

定価はカバーに表示してあります。
万一、落丁・乱丁の場合は小社製作部宛お送り下さい。
送料小社負担でお取替え致します。

ISBN978-4-16-661387-8